MATEMÁTICAS

para niños y jóvenes

MATEMÁTICAS
para niños y jóvenes

Actividades fáciles para aprender matemáticas jugando

Janice VanCleave

LIMUSA • WILEY

VanCleave, Janice
Matemáticas para niños y jóvenes : Actividades fáciles para aprender matemáticas jugando = Math for every kid : Easy activities that make learning math fun / Janice Van Cleave. -- México : Limusa Wiley, 2005.
262 p. : il. ; 14 cm. -- (Biblioteca científica)
ISBN: 968-18-5079-3.
Rústica.

1. Matemáticas – literatura juvenil

I. Clark, Barbara, il. II. García Díaz, Rafael, tr.

LC: QA39.2 Dewey: 510 – dc21

VERSIÓN AUTORIZADA EN ESPAÑOL DE LA OBRA PUBLICADA EN INGLÉS CON EL TÍTULO:
MATH FOR EVERY KID
© JOHN WILEY & SONS, INC.

COLABORADOR EN LA TRADUCCIÓN:
BARBARA CLARK

COLABORADOR EN LA TRADUCCIÓN:
RAFAEL GARCÍA DÍAZ†

GRUPO NORIEGA EDITORES
BALDERAS 95, MÉXICO, D.F.
C.P. 06040
5130 0700
01(800) 706 9100
5512 2903
limusa@noriega.com.mx
www.noriega.com.mx

CANIEM NÚM. 121

HECHO EN MÉXICO
ISBN 968-18-5079-3
9.1

Dedicado a una amiga muy especial y formidable maestra de matemáticas,
Nancy Rothband

Prefacio

Este es un libro de matemáticas básicas que forma parte de la **Biblioteca Científica para niños y jóvenes,** ideado para enseñar datos, conceptos, habilidades de cálculo y estrategias para resolver problemas. Las matemáticas forman parte de nuestra vida diaria; en cada sección se presentan conceptos matemáticos de manera que el aprendizaje sea útil y divertido.

En todos los problemas relacionados con medidas se incluyen las unidades inglesas y métricas. El objetivo no es enseñar a hacer conversiones entre los dos sistemas de medición, sino dar ejemplos comparativos al usar ambos sistemas. No siempre se emplean conversiones exactas; cuando es posible, se redondean los números al entero más cercano. Por ejemplo, aunque 10.16 centímetros = 4 pulgadas, en este libro 10 centímetros = 4 pulgadas.

En el Objetivo de cada sección se define la meta que se pretende alcanzar.

Antes de hablar del problema, se incluye Información con definiciones y explicaciones de las palabras y símbolos que se han de usar.

El Problema contiene una pregunta o situación para la que se requiere la información. Después se da una Solución mediante ejemplos paso por paso y diagramas detallados.

Un Ejercicio con problemas prácticos en cada sección, da oportunidad a los lectores de desarrollar sus habilidades. Los problemas van de los más fáciles a los más difíciles. Un asterisco en el margen izquierdo señala las actividades que requieren el nivel más alto de habilidad matemática.

La Actividad que se presenta en cada sección permite que el lector aplique la habilidad específica aprendida a situaciones de resolución de problemas reales.

Las Respuestas de los ejercicios aparecen al final de cada sección con instrucciones paso por paso para resolver los problemas.

Este libro se escribió para convertir el aprendizaje de las matemáticas en una experiencia divertida y alentar así el deseo de investigar los temas de esta disciplina con mayor profundidad y menos temor.

Agradecimientos

Quiero agradecer a un grupo de estudiantes de Crockett, Texas, que me ayudó a refinar un buen número de los procedimientos y ejercicios. Trabajamos juntos para asegurarnos de que se incluyeran únicamente problemas practicables y completamente probados. Gracias a: Meredith Clark, Katie Cunninham, Lauren Cocoros, John Holmes, Daniel Kelly, Mark Land, Troy Leland, Jennie Leland, Hugh Leland, Matt Roberts y Laura Wilson. Tami Scruggs, profesor de matemáticas en la Jordan School de Crockett, nos ayudó en nuestras sesiones de revisión y trabajó con nosotros, desde nuestra sección de pastel hasta la de la masa plástica.

Janice VanCleave

Contenido

Introducción

Las matemáticas son un lenguaje especial en el que se emplean números y símbolos para estudiar las relaciones que existen entre las cantidades. En este libro se estudian las medidas o mediciones, gráficas, figuras geométricas y resolución de problemas. Es indispensable tener un conocimiento de los conceptos matemáticos básicos. Preguntas como ¿Cuánto? ¿Qué tan lejos? o ¿Cuántos? son parte del diario vivir. Al entender las medidas se adquieren las habilidades necesarias para hallar las respuestas a dichas preguntas. Este libro te hará sentir más confiado con los problemas matemáticos que enfrentas cada día y te dará algunas herramientas básicas para abrir puertas que te conduzcan a más descubrimientos matemáticos.

Los rollos de papiro de los egipcios, que son las formas más antiguas de la historia escrita, nos indican que ya en el año 4 000 a.C. aproximadamente, los números y las matemáticas tenían una gran importancia. Tanto el primer calendario como el registro de los movimientos de los cuerpos celestes requerían un sistema de numeración. En esta civilización, las personas contaban con sus dedos. Actualmente, los estudiantes de primaria resuelven problemas rápidamente con calculadoras de mano que son muy baratas. ¿Esto quiere decir que ya se conocen todos los secretos de las matemáticas? No. La matemática es una ciencia viva y en crecimiento. Mientras más aprendemos, mejores herramientas producimos y con mejores herramientas, surgen más y más preguntas. La ciencia de las matemáticas es una búsqueda interminable que nos recompensa con nuevas habilidades matemáticas. El medir un pez que hemos pescado o el hornear un pastel con éxito es sólo el primer paso hacia las recompensas que ofrecen las habilidades matemáticas.

En este libro se explican las matemáticas con un lenguaje sencillo que podrás entender y usar con facilidad. Se ha ideado para enseñarte conceptos matemáticos de tal manera que los puedas aplicar en muchas situaciones similares. Los problemas, experimentos y demás actividades se eligieron de manera que fuese posible explicarlos en palabras conocidas y sencillas. Uno de los objetivos principales del libro es presentarte las matemáticas como algo DIVERTIDO.

Lee cada sección cuidadosamente y sigue cada procedimiento en orden. Te sugerimos también que leas las secciones en el orden en que aparecen. La información se presenta de manera progresiva de la primera a la última sección. El formato de cada sección es:

1. **Objetivo:** la meta de la sección.

2. **Información:** definición y explicación de las palabras o símbolos que se han de usar.

3. **Problema:** una pregunta o situación que requiere de la información presentada en la sección de Información.

4. **Soluciones:** instrucciones descritas paso por paso para resolver el problema.

5. **Ejercicios:** problemas para que practiques y refuerces tus habilidades.
6. **Actividad:** un proyecto que te permite aplicar la habilidad específica que aprendiste a situaciones de resolución de problemas reales.
7. **Respuestas:** soluciones de los ejercicios con instrucciones descritas paso por paso.
8. **Glosario:** todos los términos que aparecen **en negritas** en el texto se definen en el Glosario que aparece al final del libro. Asegúrate de consultar el glosario tantas veces como lo necesites hasta que logres que cada término forme parte de tu vocabulario personal.

Instrucciones generales para los problemas

1. Estudia con todo cuidado cada problema y su solución, leyéndolos de principio a fin una o dos veces.
2. Resuelve los problemas de práctica siguiendo los mismos pasos descritos en la sección de solución.
3. Comprueba tus respuestas para evaluar tu trabajo.
4. Vuelve a hacer el problema si alguna de tus respuestas es incorrecta. Comienza de nuevo e inténtalo una vez más.

Instrucciones generales para las actividades

1. Lee cada actividad de principio a fin antes de comenzar.
2. Reúne todo lo que necesites. Tendrás menos problemas y te divertirás más si tienes listos todos los materiales necesarios para las actividades antes de comenzar. Perderás el hilo de las ideas si tienes que detenerte para conseguir materiales.

3. No vayas de prisa al hacer la actividad. Sigue cada paso con mucho cuidado, nunca te saltes pasos y tampoco agregues otros de tu inventiva. La seguridad es de máxima importancia y si lees cada actividad antes de comenzar y luego sigues las instrucciones exactamente, puedes confiar en que no ocurrirá un resultado inesperado.
4. Observa. Si tus resultados no son iguales a los que se describen en la actividad, vuelve a leer cuidadosamente las instrucciones y comienza de nuevo desde el primer paso.

Acerca de las unidades de medida usadas en este libro.

Como podrás ver, en los experimentos se emplean el Sistema Internacional (sistema métrico) y el Sistema Inglés, pero es importante hacer notar que las medidas intercambiables que se dan son aproximadas, no los equivalentes exactos. Por ejemplo, cuando se pide un litro, éste se puede sustituir por un cuarto de galón, ya que la diferencia es muy pequeña y en nada afectará al resultado. Para evitar confusiones, a continuación te presentamos una tabla con los equivalentes exactos y con las aproximaciones más frecuentes en este libro.

SISTEMA INGLÉS	SISTEMA INTERNACIONAL (MÉTRICO DECIMAL)	APROXIMACIONES MÁS FRECUENTES
Medidas de volumen (líquidos)		
1 galón	= 3.785 litros	4 litros
1 cuarto de galón (E.U.)	= .946 litros	1 litro
1 pinta (E.U.)	= 473 mililitros	1/2 litro
1 taza (8 onzas)	= 250 mililitros	1/4 litro
1 onza líquida (E.U.)	= 29.5 mililitros	30 mililitros
1 cucharada	= 15 mililitros	
1 cucharadita	= 5 mililitros	
Unidades de masa (peso)		
1 libra (E.U.)	= 453.5 gramos	1/2 kilo
1 onza (E.U.)	= 28 gramos	30 g

SISTEMA INGLÉS	SISTEMA INTERNACIONAL (MÉTRICO DECIMAL)	APROXIMACIONES MÁS FRECUENTES
Longitud (distancia)		
1/8 de pulgada	= 3.1 milímetros	3 mm
1/4 de pulgada	= 6.3 milímetros	5 mm
1/2 de pulgada	= 12.7 milímetros	12.5 mm
3/4 de pulgada	= 19.3 milímetros	20 mm
1 pulgada	= 2.54 centímetros	2.5 cm
1 pie	= 30.4 centímetros	30 cm
1 yarda (= 3 pies)	= 91.44 centímetros	1 m
1 milla	= 1,609 metros	1.5 km
Temperatura		
32 °F (Farenheit)	0° C (Celsius) Punto de congelación	
212 °F (Farenheit)	100 °C (Celsius) Punto de ebullición	
Presión		
14.7 libras por pulgada cuadrada = 1 atmósfera		

Abreviaturas

- atmósfera = atm
- milímetro = mm
- centímetro = cm
- metro = m
- kilómetro = km
- pulgada = pulg
- yarda = yd
- pie = pie
- onza = oz
- taza = t
- cuarto de galón = qt
- galón = gal
- pinta = pt
- cucharadita = c
- cucharada = C
- mililitro = ml
- litro = l

I

Conceptos Básicos

1

Fracciones

Objetivo Escribir fracciones.

Información Una fracción nos dice cuántas partes hay en el todo y se refiere a una parte del total.

El pay de la figura está dividido en ocho partes iguales. Susy se está comiendo uno de los trozos del pay. 1/8 es la fracción que nos dice qué parte del pay se está comiendo Susy. Cuando leas una fracción, di primero el número superior y luego el inferior. 1/8 se lee "un octavo".

El número superior de una fracción se llama **numerador** y nos dice cuántas de las partes iguales del todo se consideran. El número inferior se llama **denominador** y nos dice el número total de partes iguales que hay en el todo.

$$\frac{1}{8} = \frac{\text{numerador}}{\text{denominador}} = \frac{\text{Trozos de pay que se está comiendo Susy}}{\text{Número total de piezas que hay en el pay}}$$

Problema

Pregunta ¿Qué fracción del número total de ranas hay en el agua?

¡Piensa!

¿Cuántas ranas hay en el agua? 4

¿Cuál es el número total de ranas en la figura? 6

4 de las 6 ranas están en el agua.

Respuesta

4/6 de las ranas están en el agua.

Ejercicios

1. **a**. ¿Qué fracción de los niños está patinando?
   b. ¿Qué fracción de los niños juega a las canicas?

2. **a**. ¿Qué fracción de los niños vuela sus cometas?
   b. ¿Qué fracción de los niños está sentada?

Actividad: VIDA MEDIA

Objetivo Demostrar cómo cambian los materiales radiactivos.

Materiales *hoja de papel*

bolígrafo (pluma)

2 cajas de zapatos vacías

tijeras

cronómetro o reloj con segundero

Procedimiento

- Con el bolígrafo, escribe en una de las cajas la palabra "Cambiado" y en la otra caja escribe "Sin cambio".
- Usa las tijeras para cortar la hoja de papel por la mitad.
- Coloca una de las mitades de la hoja en la caja marcada "Sin cambio".
- Coloca la segunda mitad de la hoja en la caja marcada "Cambiado". Todos los papeles que coloques en esta

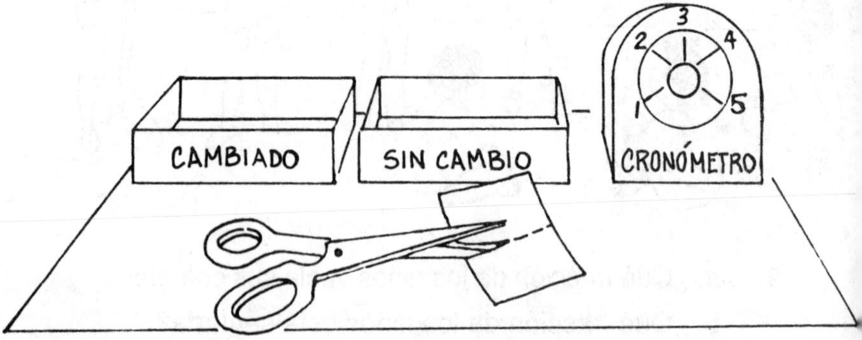

caja debes dejarlos allí, sin tocarlos, durante todo el experimento.

- Ajusta el cronómetro o reloj para medir 1 minuto.
- Al final del minuto, saca el papel de la caja "Sin cambio" y córtalo en dos mitades.
- Separa las piezas resultantes como antes y coloca una en la caja "Cambiado" y una en la caja "Sin cambio".
- Nuevamente ajusta el cronómetro o reloj para medir 1 minuto.
- Corta la pieza de papel de la caja "Sin cambio" en dos mitades al terminar cada minuto hasta que el papel sea demasiado pequeño para cortarlo. Coloca siempre una de las mitades en la caja "Cambiado" y la otra en la caja "Sin cambio".

Resultados Al término de 1 minuto, se colocó 1/2 del material en la caja "Cambiado" para demostrar el cambio que ocurre en los materiales radiactivos. Al pasar otro minuto se coloca 1/2 del material restante en la caja "Cambiado", para dejar sólo 1/4 del material original sin cambio. Al término de 3 minutos, se deja 1/8 del material original. Al tiempo que tarda en cambiar a la mitad de un material radiactivo se le llama **vida media.** En esta actividad, dicho periodo fue de 1 minuto. Se necesitan de 10 a 12 minutos para que el papel se vuelva demasiado pequeño para cortarlo. Las piezas de papel se acumulan en la caja "Cambiado", pero las piezas de papel que hay en la caja "Sin cambio" se van haciendo cada vez más pequeñas. Después de un tiempo suficiente cambian todos los materiales radiactivos, pero muchos de estos materiales tardan miles de años en cambiar.

Así hemos creado un modelo simplificado para ilustrar un tema complejo: la radiactividad.

¿Sabías que...

La vida media del plutonio 239, que se encuentra en los desechos nucleares, es de 24 000 años? Al término de 24 000 años cambia 1/2 de todo el plutonio 239 radiactivo almacenado, pero 1/2 del material permanece sin cambio. Las barras de combustible usadas que proceden de los reactores nucleares que contienen plutonio 239 son dañinas para la salud durante muchos miles de años.

Solución a los ejercicios

1. a. ***¡Piensa!***

¿Cuántos niños están patinando? 3

¿Cuántos niños hay en el dibujo? 5

3 de los 5 niños están patinando.

Respuesta

3/5 de los niños están patinando.

b. ***¡Piensa!***

¿Cuántos niños juegan a las canicas? 2

¿Cuántos niños ves en el dibujo? 5

2 de los 5 niños juegan a las canicas.

Respuesta

2/5 de los niños juegan a las canicas.

2. a. ***¡Piensa!***

¿Cuántos de los niños vuelan cometas? 4

¿Cuántos niños hay en el dibujo? 7

4 de los 7 niños vuelan cometas.

Respuesta

4/7 de los niños vuelan cometas.

b. *¡Piensa!*

¿Cuántos niños están sentados? 3

¿Cuántos niños ves en el dibujo? 7

3 de los 7 niños están sentados.

Respuesta

3/7 de los niños están sentados.

2

Conversión de fracciones

Objetivo Hallar el número de fracciones de un entero.

Información Para determinar la parte fraccionaria de un número entero sigue estos pasos.

Paso 1 Escribe un número entero cualquiera como fracción, colocando el número encima de 1.

Ejemplo

$$12 = \frac{12}{1}$$

Paso 2 Multiplica los numeradores (los números de arriba) y los denominadores (los números de abajo) de las dos fracciones.

Ejemplos

$$\frac{2}{3} \times \frac{12}{1} = \frac{2 \times 12}{3 \times 1} = \frac{24}{3}$$

$$\frac{3}{8} \times \frac{2}{4} = \frac{3 \times 2}{8 \times 4} = \frac{6}{32}$$

Paso 3 Reduce la fracción a su forma más simple.

Ejemplo Cuando el numerador es mayor que el denominador, como en 24/3, la fracción se reduce al dividir el numerador entre el denominador.

$$\begin{array}{r} 8 \\ 3\overline{)24} \\ \underline{24} \\ 0 \end{array}$$

Si el denominador no se puede dividir en partes iguales entre el numerador, como en el número 7/3, expresa el residuo como una fracción.

$$\begin{array}{r} 2 \\ 3\overline{)7} \\ \underline{6} \\ 1 \end{array} \longleftarrow \text{Residuo}$$

Respuesta

2 1/3

Ejemplo Cuando el numerador es más pequeño que el denominador, como en 6/32, divide el numerador y el denominador entre el **factor común** más grande. Un factor común es un número que cabe un número exacto de veces en el numerador y en el denominador.

$$\frac{6 \div 2}{32 \div 2} = \frac{3}{16}$$

Problemas

Pregunta 1 Carolina utiliza 1/12 de cada día en estudiar. ¿A cuántas horas diarias equivale esto?

¡Piensa!

Hay 24 horas en un día.

$$\frac{1}{12} \times 24 \text{ horas}$$

Paso 1 $24 = \frac{24}{1}$

Paso 2 $\frac{1}{12} \times \frac{24}{1} = \frac{1 \times 24}{12 \times 1} = \frac{24}{12}$

Paso 3

$$\begin{array}{r} 2 \\ 12\overline{)24} \\ \underline{24} \\ 0 \end{array}$$

Respuesta

2 horas

Pregunta 2 1/2 de los alumnos de ciencias naturales de la Srita. Ruiz son varones. 2/3 de los varones de esa clase usan tenis. ¿Qué parte o fracción de la clase la forman varones que usan tenis?

¡Piensa!

$\frac{1}{2} \times \frac{2}{3}$ = Número de varones que usan tenis.

Paso 1 $\frac{1}{2} \times \frac{2}{3} = \frac{2}{6}$

Paso 2 $\frac{2}{6} \div \frac{2}{2} = \frac{1}{3}$

Respuesta 1/3 de la clase está formado por varones que usan tenis.

Ejercicios

1. Paty leyó 40 libros durante el mes de agosto. De éstos, 3/4 eran libros de misterio. ¿Cuántos libros de misterio leyó en agosto?
2. Si germinaron 3/5 de las 60 semillas que plantó Raúl, ¿cuál es el número total de semillas germinadas en su jardín?
3. Beto duerme 1/4 de cada día. ¿A cuántos días equivale el tiempo que duerme durante un año?
4. 3/10 de la superficie de nuestro planeta está formado por tierra firme. América del Norte constituye 1/6 del área de tierra. ¿A qué parte de la superficie del planeta equivale América del Norte?

Actividad: MEZCLA

Objetivo Demostrar las partes fraccionarias del aire.

Materiales *78 malvaviscos miniatura*

1 pastilla verde de chicle

21 pastillas rojas de chicle

1 bolsa de plástico con cierre hermético de 1 kilo aproximadamente

Procedimiento

- Coloca los malvaviscos y las pastillas de chicle en la bolsa de plástico.
- Cierra la bolsa y agítala perfectamente para que se mezclen.
- Mete tu mano en la bolsa de plástico y saca un puñado del contenido.

■ Cuenta el número de malvaviscos, chicles rojos y chicles verdes que hay en la muestra que tomaste de la bolsa.

Resultados Habrá menos chicles rojos que malvaviscos en cualquier muestra que tomes. El chicle verde raras veces aparece en la muestra.

¿Sabías que...

La mezcla representa una muestra de aire limpio y seco, que contiene 78/100 partes de nitrógeno (los malvaviscos), 21/100 partes de oxígeno (las pastillas rojas de chicle) y 1/100 partes de otros gases (la pastilla verde de chicle)? Las muestras de aire tomadas en diversos lugares de la Tierra varían ligeramente en su composición.

Solución a los ejercicios

1. ***¡Piensa!***

$$\frac{3}{4} \times 40 = ?$$

Paso 1 $\frac{3 \times 40}{4 \times 1} = \frac{120}{4}$

Paso 2

$$\begin{array}{r} 30 \\ 4\,\overline{)\,120} \\ \underline{12} \\ 000 \end{array}$$

Respuesta Paty leyó 30 libros de misterio durante el mes de agosto.

2. *¡Piensa!*

$$\frac{3}{5} \times 60 = \text{número de semillas germinadas}$$

Paso 1 $\frac{3 \times 60}{5 \times 1} = \frac{180}{5}$

Paso 2

$$\begin{array}{r} 36 \\ 5\overline{)180} \\ 15 \\ \hline 30 \\ 30 \\ \hline 00 \end{array}$$

Respuesta

36 semillas germinadas

3. *¡Piensa!*

1 año tiene 365 días

$$\frac{1}{4} \times 365 = \frac{1}{4} \times \frac{365}{1}$$

Paso 1 $\frac{1 \times 365}{4 \times 1} = \frac{365}{4}$

Paso 2

$$\begin{array}{r} 91 \\ 4\overline{)365} \\ 36 \\ \hline 005 \\ 4 \\ \hline 1 \end{array}$$

1 ← Residuo

Respuesta Beto duerme suficientes horas cada año para hacer un total de $91^1/_4$ días.

4. ***¡Piensa!***

$$\frac{3}{10} \times \frac{1}{6} = ?$$

Paso 1 $$\frac{3 \times 1}{10 \times 6} = \frac{3}{60}$$

Paso 2 $$\frac{3 \div 3}{60 \div 3} = \frac{1}{20}$$

Respuesta América del Norte equivale a 1/20 de la superficie total de la Tierra.

3

Fracciones equivalentes

Objetivo Escribir fracciones equivalentes.

Información Las fracciones equivalentes representan la misma cantidad de un todo o grupo. 1/2 de un círculo es la misma cantidad que 2/4 del mismo círculo. Esto se expresa como: 1/2 = 2/4. Igual de cierto es decir que 2/4 = 1/2. Para cambiar una fracción de denominador pequeño a otra con denominador más grande, multiplica el numerador y el denominador por el mismo número. Para cambiar una fracción con denominador grande a otra con denominador más pequeño, divide el numerador y el denominador entre el mismo número.

Problemas

Pregunta 1 Encontrar la fracción equivalente.

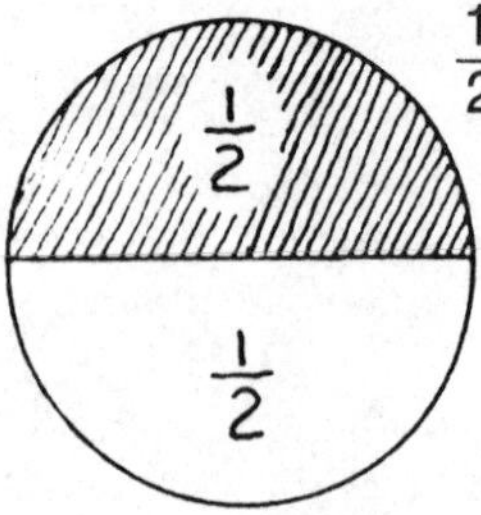

$$\frac{1}{2} = \frac{?}{4}$$

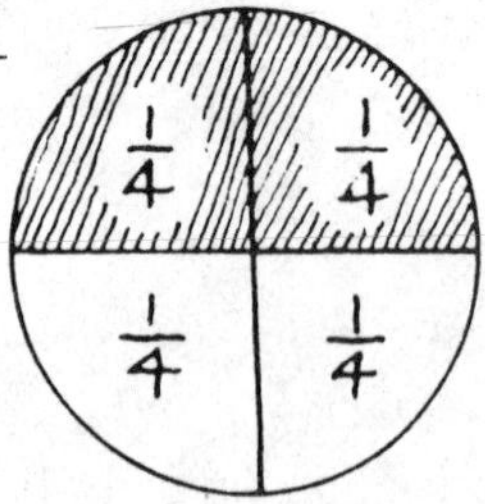

¡Piensa! $2 \times ? = 4$

$$\frac{1 \times 2}{2 \times 2} = \frac{2}{4}$$

Respuesta

$$\frac{1}{2} = \frac{2}{4}$$

Pregunta 2 Encontrar la fracción equivalente.

$$\frac{6}{8} = \frac{?}{4}$$

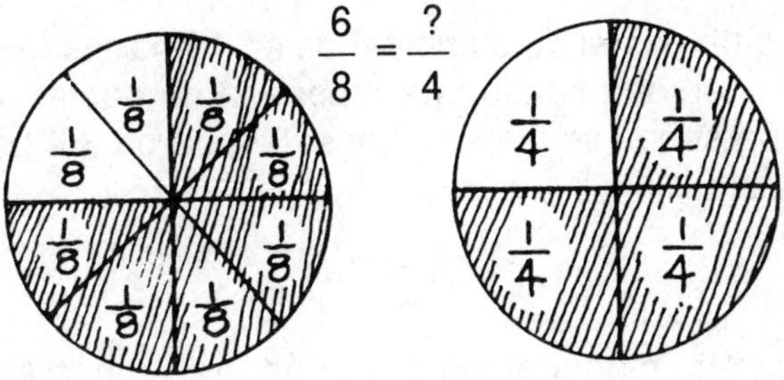

¡Piensa!

$8 \div ? = 4$

$$\frac{6 \div 2}{8 \div 2} = \frac{3}{4}$$

Respuesta

$$\frac{6}{8} = \frac{3}{4}$$

Ejercicios

1. Pedro se comió 4/8 de una dona. La dona de Toño está cortada en cuatro partes. ¿Cuántas partes debe comerse Toño para igualar lo que se comió Pedro?

$$\frac{4}{8} = \frac{?}{4}$$

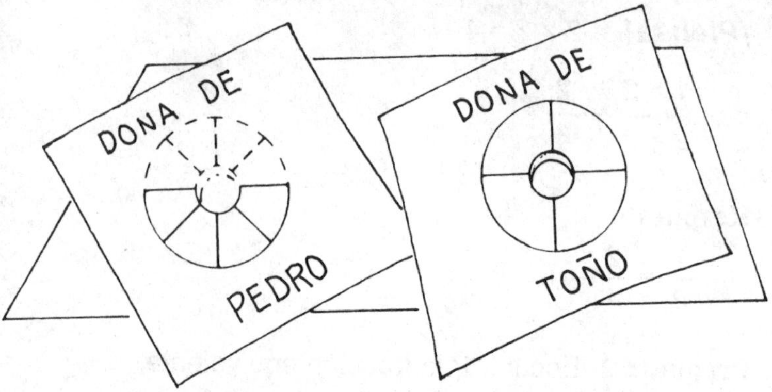

2. Tina cortó un pastel de cumpleaños en 16 partes iguales. Cada persona comió una rebanada de pastel. ¿A cuántas personas se les sirvió si se acabaron 3/4 partes del pastel?

$$\frac{3}{4} = \frac{?}{16}$$

3. Laura usa 100 monedas para enseñar fracciones a su hermana Lupe. Determina a cuántos centavos equivale cada parte fraccionaria de 100.

a. $\frac{3}{4}$ de 100 b. $\frac{4}{25}$ de 100

Actividad: UNO MENOS

Objetivo Demostrar que las fracciones equivalentes representan la misma cantidad.

Materiales *hoja rayada de cuaderno*

regla

lápiz

tijeras

Procedimiento

- Coloca la regla siguiendo la línea superior del papel.
- Comienza en la orilla izquierda y haz una marca de 15 cm (6 pulg) sobre la primera línea.
- Pasa a la siguiente línea y haz otra marca de 15 cm (6 pulg).
- Repite la operación hasta tener 7 marcas separadas.
- Coloca la regla diagonalmente cruzando las líneas, de manera que la orilla de la misma toque el extremo izquierdo de la primera línea y el extremo derecho de la séptima línea.

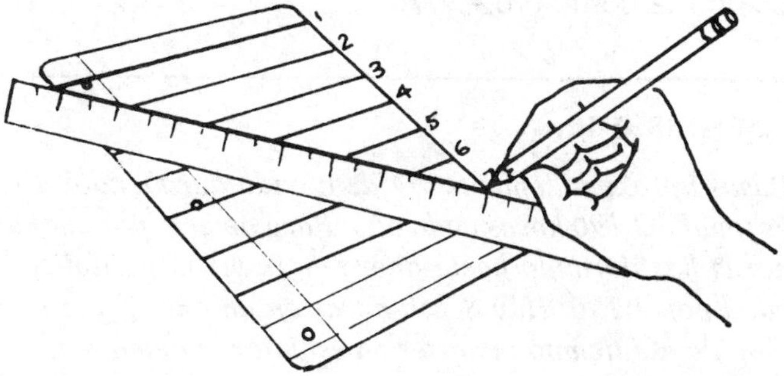

- Traza una recta con el lápiz siguiendo el borde de la regla y prolóngala hasta las orillas del papel.
- Corta la hoja por esta línea diagonal.
- Coloca las piezas de papel sobre una mesa y desliza la pieza de la derecha hacia abajo para formar 6 líneas rectas.
- Mide la longitud de cada línea.

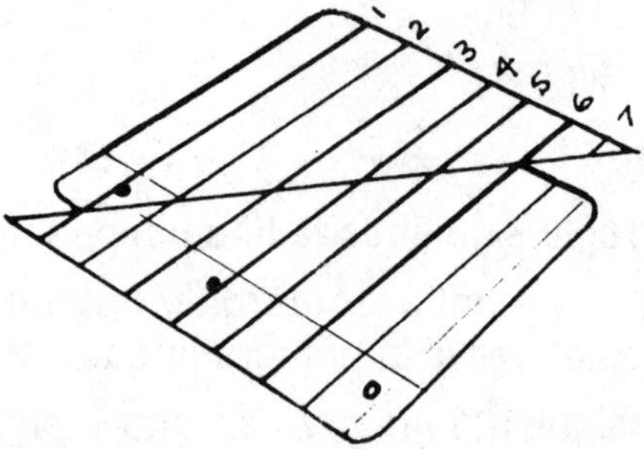

Resultados Cada una de las 7 líneas tiene 15 cm (6 pulgadas) de largo. Al correr las piezas de papel se hace que una de las líneas desaparezca y se producen 6 líneas que miden cada una 17.5 cm (7 pulgadas) de largo. La suma de las longitudes de las 7 líneas es 105 cm (42 pulgadas), la cual es equivalente a la suma de las longitudes de las 6 líneas. Las 6 partes separadas son equivalentes a las 7 partes separadas y pueden expresarse en forma fraccionaria como 6/6 = 7/7.

¿Sabías que...

Pasas aproximadamente 1/4 de tu vida durmiendo? Esto es igual a 2 190 horas cada año. Para determinar cuántas horas has dormido hasta ahora en tu vida, multiplica tu edad por 2 190. Hay 8 760 horas en un año. ¿Qué fracción de ese tiempo inviertes en estudiar matemáticas?

Solución a los ejercicios

1. ***¡Piensa!*** $8 \div ? = 4$

$$\frac{4 \div 2}{8 \div 2} = \frac{2}{4}$$

$$\frac{4}{8} = \frac{2}{4}$$

Respuesta Toño debe comer 2 partes.

2. ***¡Piensa!*** $4 \times ? = 16$

$$\frac{3 \times 4}{4 \times 4} = \frac{12}{16}$$

$$\frac{3}{4} = \frac{12}{16}$$

Respuesta Se sirvió pastel a 12 personas.

3. a. ***¡Piensa!*** $4 \times ? = 100$

$$\frac{3 \times 25}{4 \times 25} = \frac{75}{100}$$

$$\frac{3}{4} = \frac{75}{100}$$

Respuesta 75 centavos.

3. b. ***¡Piensa!*** $25 \times ? = 100$

$$\frac{4 \times 4}{25 \times 4} = \frac{16}{100}$$

$$\frac{4}{25} = \frac{16}{100}$$

Respuesta 16 centavos.

4

Promedios

Objetivo Calcular promedios.

Información Los promedios nos dan información general acerca de datos reunidos. La precipitación promedio de lluvia en un año no nos dice cuánto llovió en un día en especial, pero sí nos da información para comparar la precipitación de un año con la de otro. Como la lluvia se junta en lagos y presas, la comparación de un año con otro indica qué tan húmeda es una región.

Las calificaciones que se anotan en las boletas escolares son un promedio de las puntuaciones que se obtuvieron en cada materia durante un número específico de días. Las calificaciones de Laura en matemáticas durante el periodo de estudio fueron 86, 97, 94, 89, 95 y 91. Para determinar su promedio de calificación en matemáticas, sigue estos pasos:

Paso 1 Determina la suma de las calificaciones:

$$86 + 97 + 94 + 89 + 95 + 91 = 552$$

Paso 2 Divide la suma entre 6, que es el número total de puntuaciones.

92 ← Promedio

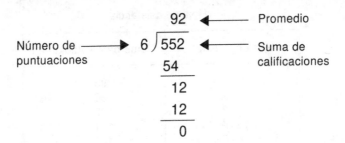

Número de puntuaciones → 6)552 ← Suma de calificaciones

$$\begin{array}{r} 92 \\ 6\overline{)552} \\ \underline{54} \\ 12 \\ \underline{12} \\ 0 \end{array}$$

Problema

Pregunta Las puntuaciones de boliche de David son 125, 135, 150 y 134. Determina su puntuación promedio.

Paso 1 Determina la suma de las puntuaciones:

$$125 + 135 + 150 + 134 = 544$$

Paso 2 Divide la suma de las puntuaciones entre 4, que es el número total de puntuaciones:

136 ← Puntuación promedio

Número de puntuaciones → 4)544 ← Suma de puntuaciones

$$\begin{array}{r} 136 \\ 4\overline{)544} \\ \underline{4} \\ 14 \\ \underline{12} \\ 24 \\ \underline{24} \\ 0 \end{array}$$

Respuesta 136

Ejercicios

1. Determina el promedio de estudiantes que estuvieron presentes en las clases de costura de la Srita. Clara durante la semana del 1 al 7 de agosto.

Hoja de asistencia

Mes de agosto	Número de estudiantes
1	95
2	96
3	100
4	101
5	102
6	97
7	95

2. Una gimnasta recibe puntuaciones en diferentes pruebas gimnásticas. Determina su puntuación promedio.

Tere López

Evento gimnástico	Puntuación
Ejercicio de piso	9.8
Barras paralelas	9.2
Barras asimétricas	9.9
Salto de caballo	9.7
Viga de equilibrio	10.0

3. Martín contó las calorías de sus alimentos durante 1 semana. ¿Cuál fue su promedio diario de consumo de calorías en esa semana?

Martín

Día	Consumo de calorías
Lunes	1 200
Martes	1 300
Miércoles	1 500
Jueves	1 200
Viernes	1 800
Sábado	2 200
Domingo	2 000

*4. La edad promedio de los hijos de Estela Hernández es 22 años. ¿Qué edad tiene Caro?

Edad de los hijos de Estela

Niños	Edad (años)
Jaime	23
Francisco	24
Caro	?
Promedio grupal	22

Actividad: ¿QUÉ TAN LARGO?

Objetivo Determinar la longitud promedio de un cacahuate.

Material *20 cacahuates con cáscara*
una regla

Procedimiento

- Mide y anota la longitud de cada cacahuate; redondéala al centímetro o pulgada más cercano.
- Suma las 20 medidas.

- Divide la suma de las medidas de longitud entre 20, que es el número de cacahuates.

Resultados La suma de las longitudes dividida entre el número total de cacahuates medidos da la longitud promedio de éstos. La longitud de los cacahuates varía de $2\frac{1}{2}$ a 5 cm (1 a 2 pulg).

> ## ¿Sabías que...
>
> *Hay alrededor de 250 cacahuates de tamaño promedio en 454 g (1 libra) de cacahuates? Los cacahuates son uno de los alimentos más nutritivos. Hay más proteínas en un kilo de cacahuates que en un kilo de carne.*

Solución a los ejercicios

1. Paso 1 Determina la suma de los estudiantes:

   95 +96 + 100 + 101 + 102 + 97 + 95 = 686

   Paso 2 Divide la suma de los estudiantes entre 7, que es el número total de días:

```
                                  98   ◄——— Promedio de asistencia
Número de días ———►  7 )686  ◄——— Suma de estudiantes
                                  63
                                  ——
                                   56
                                   56
                                   ——
                                    0
```

Respuesta La asistencia promedio es de 98.

2. Paso 1 Determina la suma de las puntuaciones:

$$9.8 + 9.2 + 9.9 + 9.7 + 10.0 = 48.6$$

Paso 2 Divide la suma entre 5, que es el número total de puntuaciones:

$$\begin{array}{r} 9.72 \\ 5\overline{)48.60} \\ \underline{45} \\ 3\,6 \\ \underline{3\,5} \\ 10 \\ \underline{10} \\ 0 \end{array}$$

9.72 ← Promedio

Número de puntuaciones → 5

48.60 ← Suma de puntuaciones

Respuesta
9.72

3. Paso 1 Determina la suma de las calorías:

$$1200 + 1300 + 1500 + 1200 + 1800 + 2200 + 2000 = 11\,200$$

Paso 2 Divide la suma de las calorías entre 7, que es el número de días:

$$\begin{array}{r} 1600 \\ 7\overline{)11200} \\ \underline{7} \\ 42 \\ \underline{42} \\ 0 \end{array}$$

1600 ← Promedio

Número de días → 7

11200 ← Suma de calorías

Respuesta
1 600 calorías

4. ***¡Piensa!***

$3 \times 22 = 66$

¡Piensa!

Sabemos que la suma de las tres edades es:

$23 + 24 + ? = 66$

¡Piensa!

La suma de $23 + 24 = 47$, por lo tanto:

$47 + ? = 66$

Respuesta

$? = 19$

Caro tiene 19 años.

5

Múltiplos

Objetivo Multiplicar números enteros y decimales.

Información A los números que se multiplican entre sí se les llama **factores** y el resultado de la multiplicación es el **producto.** Multiplica los factores con decimales como si fueran números enteros y coloca el punto decimal en el producto. El número de decimales que hay en el producto es igual a la suma de los decimales que hay en todos los factores.

Ejemplo

Factor		Factor		Producto
2.2	×	1.81	=	3.982
1 decimal	+	2 decimales	=	3 decimales

Para multiplicar tres o más factores, multiplica los primeros dos números y luego multiplica el producto por el siguiente factor. Continúa esta operación hasta que hayas multiplicado todos los factores.

Ejemplo

$$4 \times 3 \times 2 \times 5 =$$
$$4 \times 3 = 12$$
$$12 \times 2 = 24$$
$$24 \times 5 = 120$$

es decir,

$$4 \times 3 \times 2 \times 5 = 120$$

Cuando los factores tienen más de un dígito, multiplica cada uno de ellos por separado.

Ejemplo

3.2	1 decimal
× 4.5	1 decimal
160	Producto de 3.2 × 5
+ 128	Producto de 3.2 × 4
14.40	2 decimales

Problema

Pregunta Multiplica 1.23 × 0.81 × 4

¡Piensa!

Multiplica los dos primeros factores:

1.23	2 decimales
× 0.81	2 decimales
123	Producto de 1.23 × 1
984	Producto de 1.23 × 8
9963	

¡Piensa!

Multiplica el producto, 9963, por 4:

$$\begin{array}{r} 9963 \\ \times \quad 4 \\ \hline 39852 \end{array}$$

¡Piensa!

¿Cuál es la suma de los decimales de los tres factores? 4

Respuesta 3.9852

Ejercicios

1. Marisela puede correr una vuelta completa a la pista de la escuela en 1.45 minutos. Para determinar cuánto le tomaría correr 1.5 vueltas, multiplica 1.45 × 1.5.
2. Lupe se comió 2.5 galletas. Cada galleta contenía 4.5 pasas. Para determinar el número total de pasas que se comió Lupe, multiplica 2.5 × 4.5.
3. Diana quiere cubrir su carpeta de biología con calcomanías de árboles. Necesita 2.25 calcomanías para

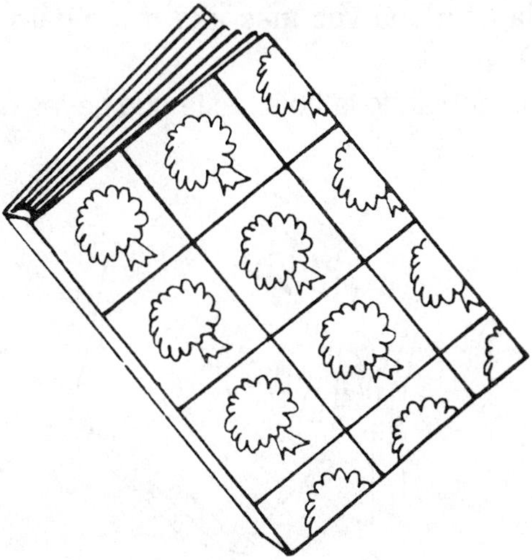

cubrir el ancho y 3.5 calcomanías para cubrir la longitud. Para determinar el número de calcomanías que necesita para cubrir ambas caras de la carpeta, multiplica 2.25 × 3.5 × 2.

***4.** ¿Tomarías tú este trabajo? Un trabajo paga $.01 el primer día. Si se duplica la paga cada día, el dinero recibido en el segundo día sería dos veces el pago recibido el día anterior, o sea 2 × $.01 = $.02. Calcular el dinero recibido cada día durante 30 días comenzando con el día 1 = $.01.

Actividad: DUPLICACIÓN

Objetivo Determinar el número de secciones que se forman al doblar una hoja de papel un número específico de veces.

Materiales *hoja de papel para escribir a máquina*
hoja de periódico

Procedimiento

- Dobla la hoja de papel a la mitad para producir 2 secciones.
- Dobla la hoja una vez más a la mitad para producir 4 secciones.
- Continúa doblando la hoja hasta que hayas hecho 6 dobleces.

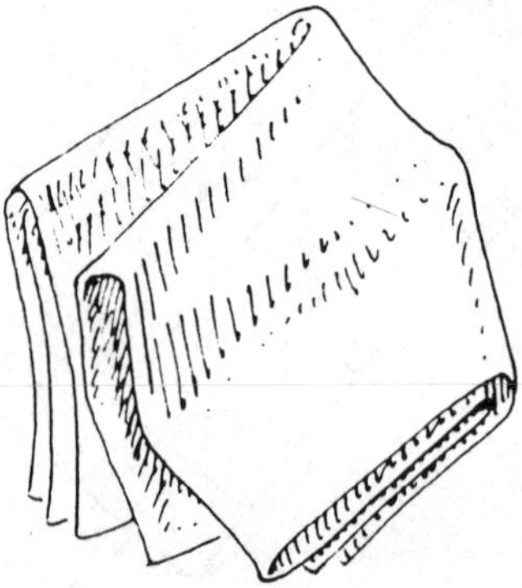

- Determina el número de secciones que se producen duplicando el número de secciones después de cada doblez.
- Despliega la hoja de papel después del sexto doblez y cuenta las secciones para comprobar tu respuesta.

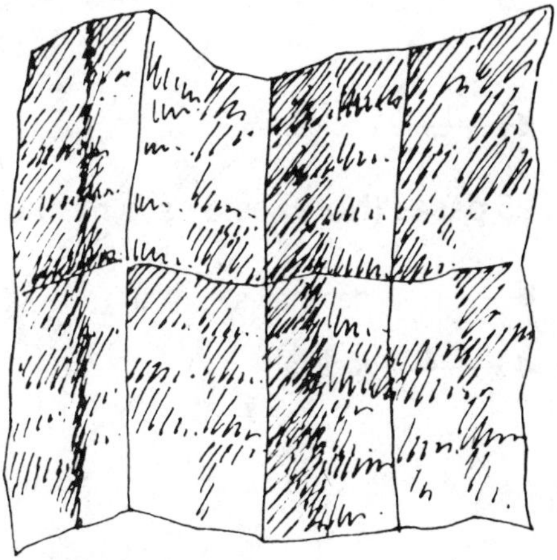

- Vuelve a doblar la hoja de papel y determina cuántas veces puede doblarse por la mitad.
- Usa la hoja de periódico y determina también cuántas veces puede doblarse por la mitad.

Resultados Seis dobleces producen 64 secciones. Es difícil doblar un papel de cualquier tamaño más de seis veces debido al espesor del papel. El séptimo doblez produce 128 secciones y un octavo doblez duplicaría de nuevo el número de secciones, para formar 256 secciones.

Solución a los ejercicios

1.

$$\begin{array}{r} 1.45 \\ \times\ 1.5 \\ \hline 725 \\ 145 \\ \hline 2.175 \end{array}$$

1.45 ← 2 decimales

× 1.5 ← 1 decimal

2.175 ← 3 decimales

Respuesta 2.175 minutos para dar 1.5 vueltas.

2.

$$\begin{array}{r l} 2.5 & \leftarrow \text{1 decimal} \\ \times\ 4.5 & \leftarrow \text{1 decimal} \\ \hline 125 & \\ 100 & \\ \hline 11.25 & \leftarrow \text{2 decimales} \end{array}$$

Respuesta 11.25 pasas (**Nota:** esto es lo mismo que $11^1/_4$).

3.

$$\begin{array}{r l} 2.25 & \leftarrow \text{2 decimales} \\ \times\ 3.5 & \leftarrow \text{1 decimal} \\ \hline 1125 & \\ 675 & \\ \hline 7875 & \\ \times\ 2 & \\ \hline 15.750 & \leftarrow \text{3 decimales} \end{array}$$

Respuesta 15.750 calcomanías (**Nota:** esto es lo mismo que $15\,^3/_4$).

***4.**

Día	Sueldo ($)	Día	Sueldo ($)
1	.01	10	5.12
2	.02	11	10.24
3	.04	12	20.48
4	.08	13	40.96
5	.16	14	81.92
6	.32	15	163.84
7	.64	16	327.68
8	1.28	17	655.36
9	2.56	18	1 310.72

Día	Sueldo ($)	Día	Sueldo ($)
19	2 621.44	25	167 772.16
20	5 242.88	26	335 544.32
21	10 485.76	27	671 088.64
22	20 971.52	28	1 342 177.28
23	41 943.04	29	2 684 354.56
24	83 886.08	30	5 368 709.12

Observa que el salario de cada día fue igual al doble del día anterior. La cantidad total de dinero recibida por cualquier número de días puede calcularse rápidamente doblando la paga del último día de trabajo y restando la paga del día 1 al producto. Ejemplo: ¿Cuánto dinero se recibió durante 4 días?

Salario del día 4 = $.08
× 2
$.16

Producto –.01 = Total de dinero recibido

$.16 – .01 = $.15 = Total de dinero por 4 días

Para comprobar tu respuesta, suma el dinero recibido durante los cuatro días.

$.01 + $.02 + $.04 + $.08 + = $.15

La cantidad total de dinero recibido durante los 30 días es:

$5 368 709.12 × 2 = $10 737 418.24

$10 737 418.24 – .01 = $10 737 418.23

II

Medidas

6

Centímetros

Objetivo Usar una regla con escala métrica para medir longitudes en centímetros.

Información En una regla con escala métrica los números impresos indican medidas en centímetros. Cada división pequeña entre los números es igual a 1 milímetro (0.1 cm).

Problema

Pregunta Determinar la longitud del lápiz en centímetros. Expresar la respuesta al milímetro más próximo.

Respuesta La longitud del lápiz es 3.7 cm.

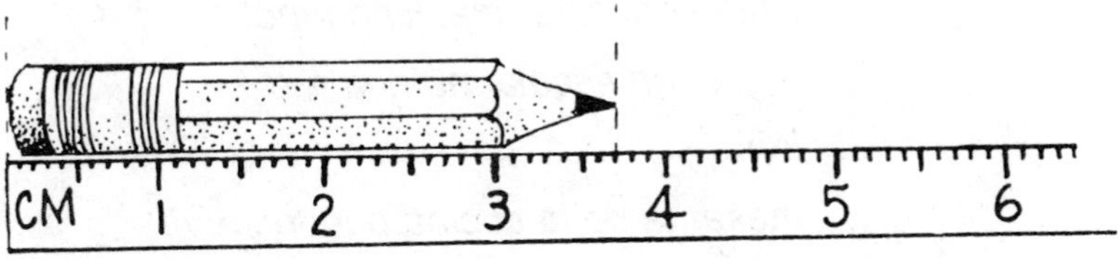

Ejercicios

1. ¿Cuál es la longitud de la venda adhesiva (curita)?

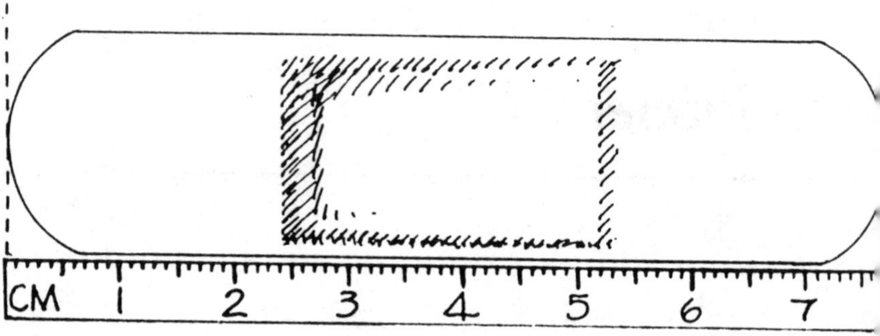

2. ¿Qué longitud tiene el clip?

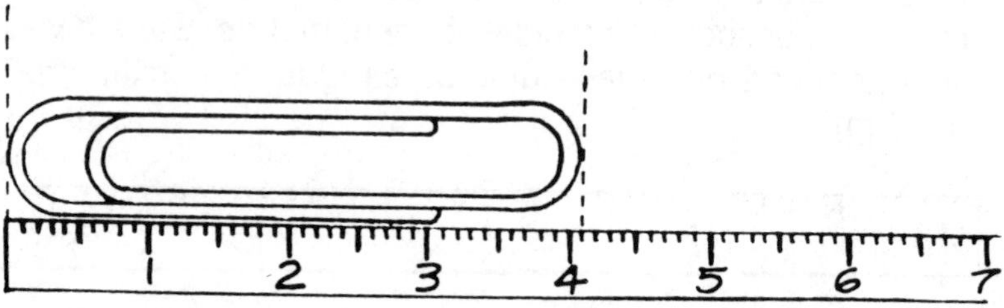

Actividad: CUARTA

Objetivo Medir longitudes en cuartas y centímetros.

Materiales *tu mano*

cinta adhesiva (masking tape)

regla con escala métrica

lápiz

mesa (la de la cocina puede servir)

Procedimiento

- Extiende los dedos de tu mano izquierda.
- Pon tu mano extendida sobre la escala de la regla; coloca el dedo meñique en el extremo de la escala y estira tu pulgar hasta donde llegue.

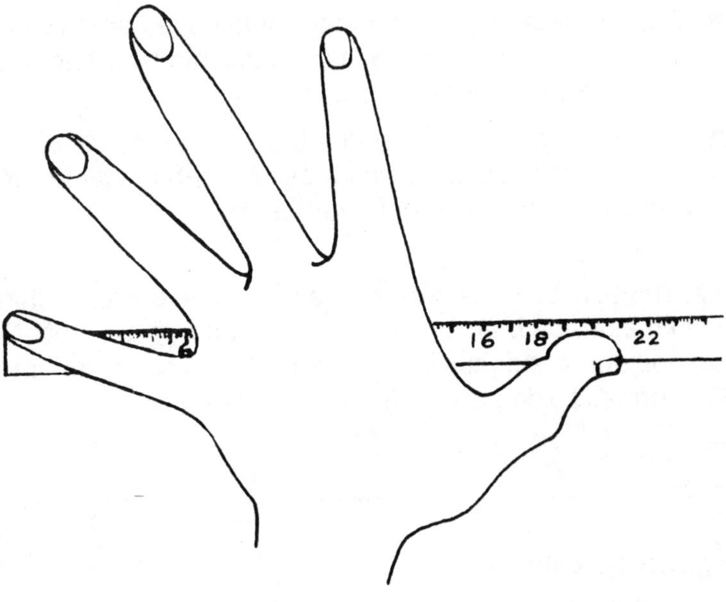

- Anota la longitud de tu mano extendida al centímetro entero más cercano.
- Pega una tira de cinta adhesiva a lo largo del borde más largo de la mesa.
- Pon tu mano extendida en el extremo izquierdo del borde de la mesa sobre la cinta.
- Marca el extremo de tu dedo pulgar con el lápiz.
- Mueve tu mano extendida hacia la derecha y coloca el extremo de tu dedo meñique en la marca de lápiz.

- Marca otra vez el extremo de tu dedo pulgar.
- Continúa moviendo tu mano sobre el borde de la mesa hasta que hayas medido su longitud completa.
- Si la última medida es más corta que tu mano extendida, cuéntala solamente si la distancia es mayor que la mitad de la distancia entre las puntas de los dedos de tu mano extendida.
- A la medida de tu mano extendida se le llama **cuarta**. Cuenta el número de marcas que hiciste y anota la longitud de la mesa en cuartas.
- Multiplica el número de cuartas por la medida de tu mano extendida en centímetros para determinar la longitud de la mesa en centímetros.

Resultados El número de marcas depende de la longitud de la mesa y de qué tan larga sea la cuarta de tu mano. Si memorizas la longitud de la cuarta de tu mano, tendrás una forma rápida para estimar longitudes.

¿Sabías que...

El sistema de medidas inglesas se basó originalmente en las medidas del cuerpo humano como la cuarta de tu mano? Una milla era igual a 1 000 pasos de un soldado romano y una yarda era la longitud desde la nariz del rey hasta el extremo de su dedo pulgar. Como el rey no siempre estaba disponible, cada persona usaba su propio brazo extendido para medir una yarda.

Las diferencias de tamaño de los cuerpos humanos llevó a la necesidad de idear una forma de medir más uniforme.

En 1791, los científicos franceses crearon el sistema métrico. La diezmillonésima parte de la distancia del Polo Norte al Ecuador se marcó sobre una barra de metal. Se hicieron copias de la barra y se usaron para medir longitudes métricas. Con los adelantos tecnológicos es posible tomar medidas con mayor precisión. La distancia que recorre la luz en 1/299 792 458 de un segundo es ahora la longitud estándar del metro.

Solución a los ejercicios

1. La longitud de la venda adhesiva es 7.8 cm.

2. La longitud del clip es 4.1 cm.

7

Milímetros

Objetivo Usar una regla con escala métrica para medir longitudes en milímetros.

Información En una regla con escala métrica, los números impresos indican medidas en centímetros. Cada división pequeña de las que hay entre los números es igual a 0.1 centímetro, que es lo mismo que 1 milímetro. Un centímetro es igual a 10 milímetros. Para convertir en milímetros una medida en centímetros, multiplícala por 10. El símbolo para el milímetro es mm.

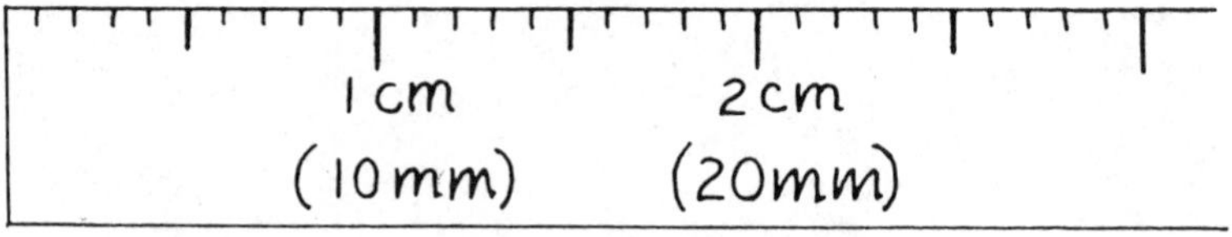

Problema

Pregunta ¿Cuál es el ancho del listón en milímetros (mm)?

Respuesta El número impreso en la escala multiplicado por 10 da la medida en milímetros. Cada división pequeña entre los números impresos es igual a 1 milímetro. La orilla del listón llega hasta el segundo milímetro después del número impreso 2 de la escala. El ancho del listón es igual a 22 mm.

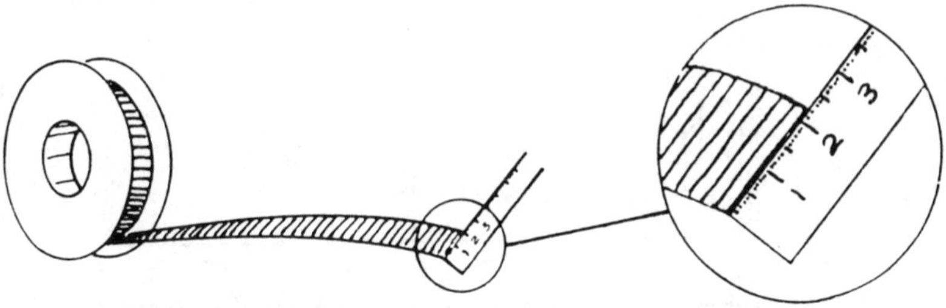

Ejercicios

1. ¿Cuál es la longitud del peine en milímetros?

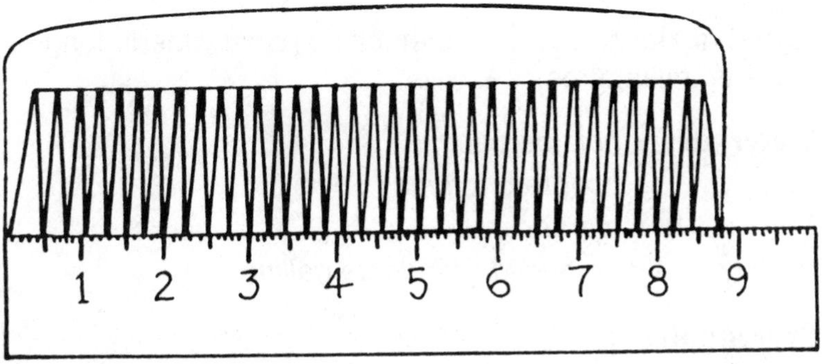

2. ¿Qué altura tienen las cerdas del cepillo de dientes en milímetros?

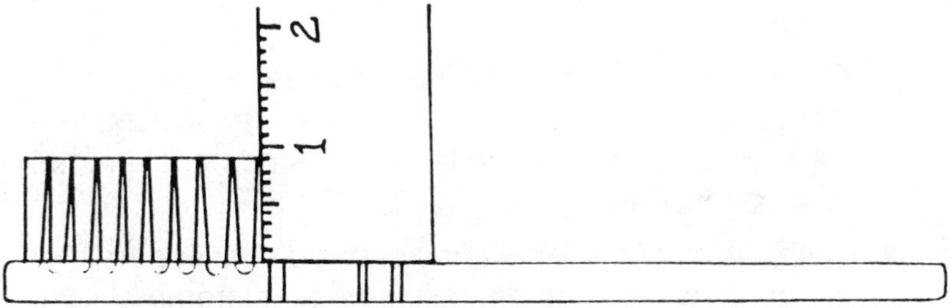

3. El libro tiene 100 páginas. ¿Cuál es el espesor de cada página en milímetros?

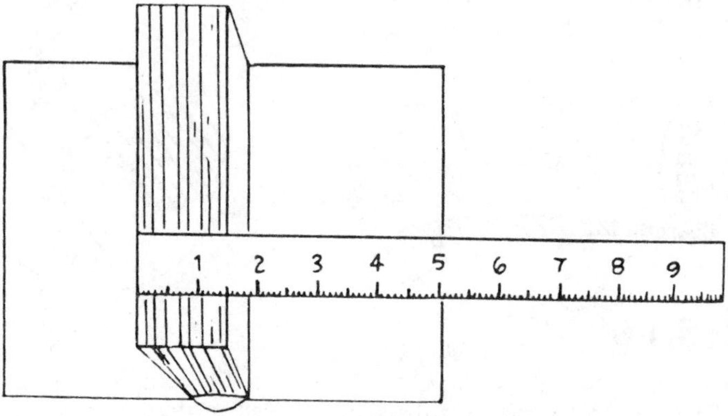

Actividad: CINTA MÉTRICA

Objetivo Hacer una cinta métrica de papel y medir longitudes en milímetros.

Materiales *hoja de papel*
bolígrafo (pluma)
tijeras
un huevo grande de gallina

Procedimiento

- Mide y recorta una tira de papel de 30 mm de ancho × 280 mm de largo.
- Con el lápiz escribe CERO en un extremo de la tira de papel.
- Coloca la regla sobre la tira de papel y usa el lápiz para marcar las posiciones de los milímetros. Comienza exactamente en la orilla de la tira de papel en que marcaste CERO.
- Utiliza la cinta de papel que acabas de hacer para medir un huevo grande de gallina de un extremo al otro.

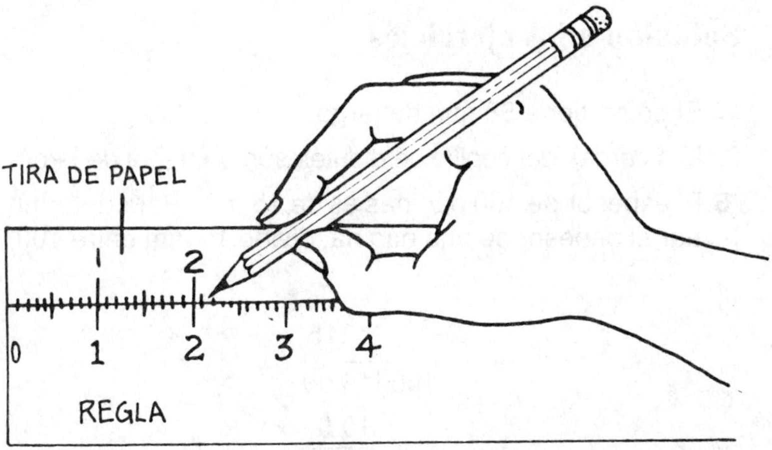

Resultados La cinta de papel se arquea fácilmente alrededor de los objetos y esto la hace útil para medir materiales curvos. La longitud de un huevo de gallina de un extremo al otro varía según el tamaño del huevo. El huevo que tomó la autora midió 83 mm de extremo a extremo. Mide varios huevos de diferentes tamaños y compara sus medidas.

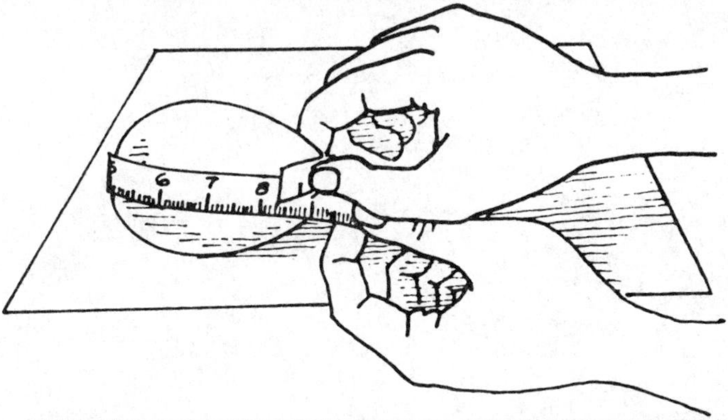

¿Sabías que...

El huevo de ave más pequeño es el del colibrí verbena *de Jamaica? El huevo mide alrededor de 9.9 mm de longitud (de un extremo al otro).*

Solución a los ejercicios

1. El peine tiene 88 mm de largo.

2. Las cerdas del cepillo de dientes son de 9 mm de largo.

***3.** El espesor de 100 páginas es de 15 mm. Para determinar el espesor de una página, divide 15 mm entre 100.

$$
\begin{array}{r}
.15 \\
100\overline{)15.00} \\
\underline{10\,0} \\
5\,00 \\
\underline{5\,00} \\
0\,00
\end{array}
$$

El espesor de una página es 0.15 mm.

8

Perímetro

Objetivo Calcular el perímetro de polígonos.

Información El **perímetro** es el contorno de un objeto y se calcula al sumar las longitudes de todos sus lados. Los **polígonos** tienen lados rectos que se juntan formando ángulos.

Problemas

Pregunta Determinar el perímetro de cada objeto.

1. a. El perímetro del marco rectangular del cuadro se calcula al sumar las longitudes de sus cuatro lados:

Sistema inglés 10 pulg + 12 pulg + 10 pulg + 12 pulg = 44 pulg

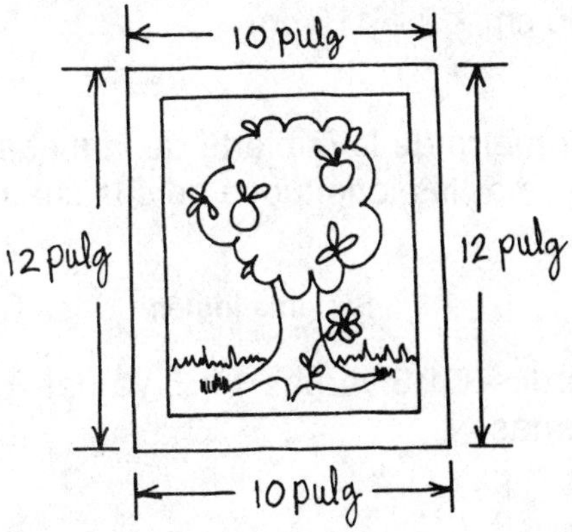

Sistema métrico

25 cm + 30 cm + 25 cm + 30 cm = 110 cm

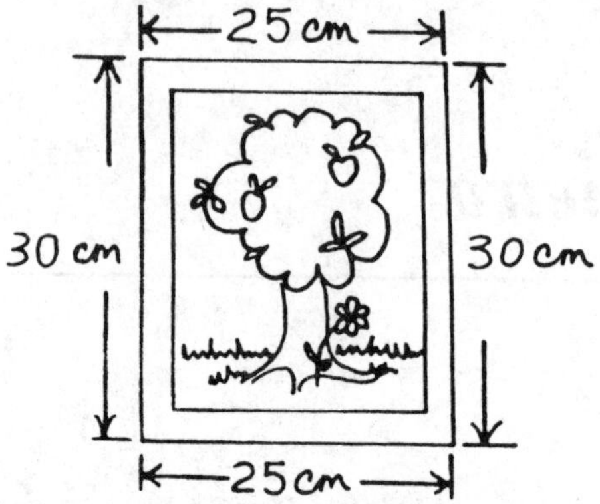

o bien, mide la longitud del perímetro hasta la mitad del cuadro y multiplica tu medida por dos:

Sistema inglés

Paso 1 10 pulg + 12 pulg = 22 pulg

Paso 2 22 pulg × 2 = 44 pulg

Sistema métrico

Paso 1 25 cm + 30 cm = 55 cm

Paso 2 55 cm × 2 = 110 cm

2. b. El perímetro de la cubierta de la mesa cuadrada se calcula al sumar las longitudes de sus cuatro lados:

Sistema inglés

1.5 yardas + 1.5 yardas + 1.5 yardas + 1.5 yardas = 6.0 yardas

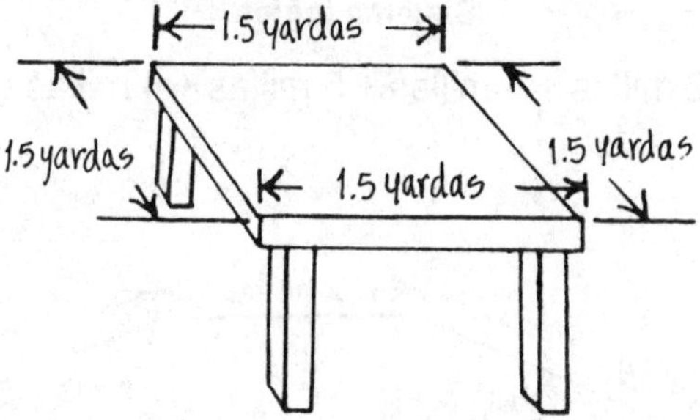

Sistema métrico

1.37 m + 1.37 m + 1.37 m + 1.37 m = 5.48 metros

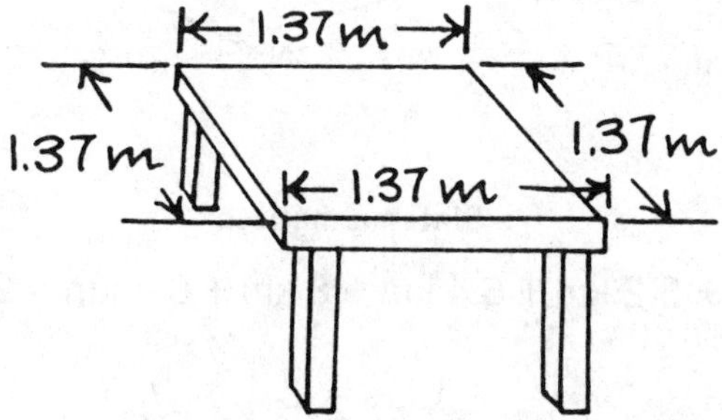

Como los cuatro lados tienen la misma longitud, multiplica la medida de uno de los lados por cuatro:

Sistema inglés

1.5 yardas × 4 = 6.0 yardas

Sistema métrico

1.37 m × 4 = 5.48 m

3. c. El perímetro de este parque de forma irregular se calcula al sumar las longitudes de todos sus lados:

Sistema inglés

3 millas + 2 millas + 4 millas + 5 millas + 4 millas = 18 millas

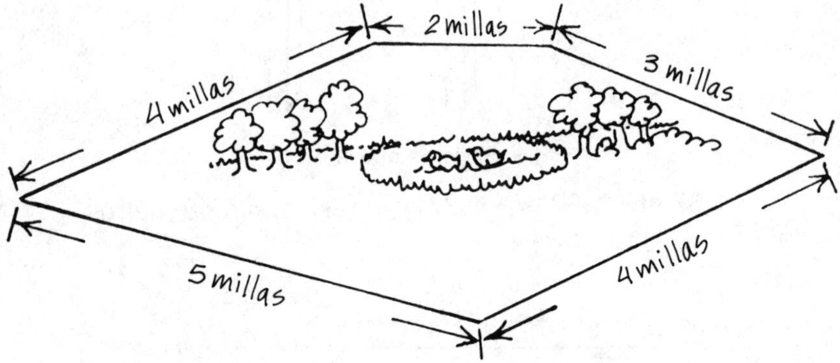

Sistema métrico

4.8 km + 3.2 km + 6.4 km + 8 km + 6.4 km = 28.8 km

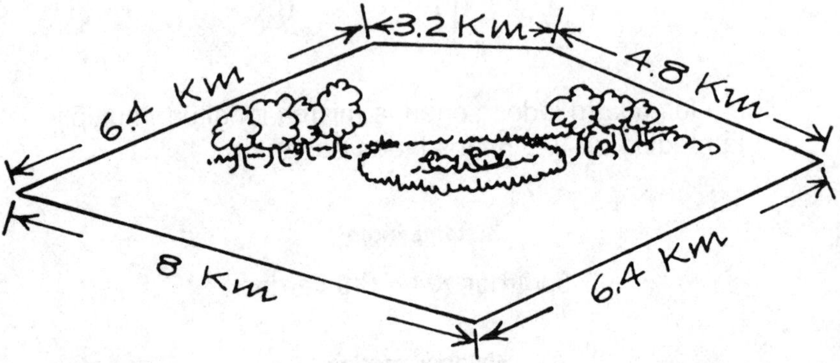

Ejercicios

1. Un rectángulo mide 254 cm (100 pulg) × 150 cm (59 pulg). ¿Cuál es el perímetro de ese rectángulo?
2. Calcula el perímetro de este polígono de forma irregular.

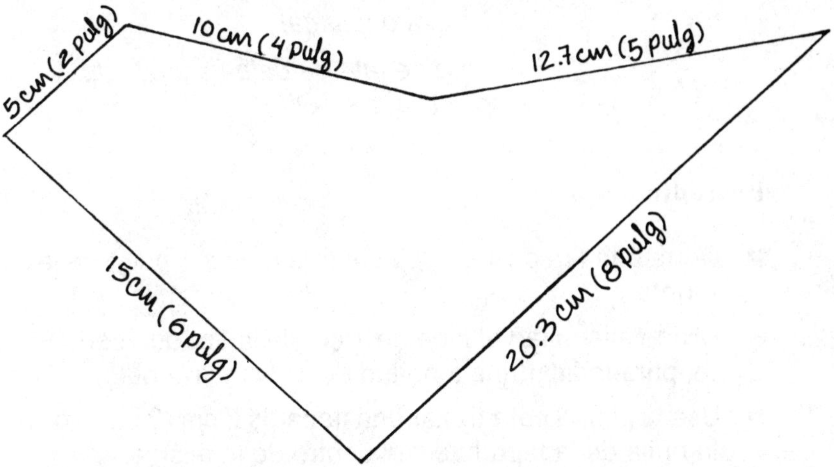

*3. Acomoda los cuatro cuadrados para formar una estructura con un perímetro de

a. 40 cm (16 pulg)

b. 50 cm (20 pulg)

c. 60 cm (24 pulg)

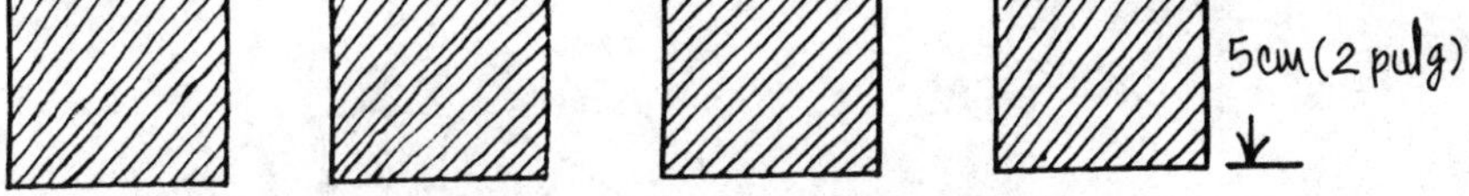

Actividad: RUEDA DE MEDIR

Objetivo Construir y usar una rueda de medir.

Materiales *tijeras*

regla

tarjeta para ficha bibliográfica

libro

lápiz

bolígrafo (pluma)

tapa de lata de café (la tapita de plástico que sella)

Procedimiento

- Corta una tira de 1 cm × 3 cm (1/2 pulg × 1 pulg) de la tarjeta.
- Divide a la mitad el lado de 1 cm de la tira que cortaste, para indicar una longitud de 1/2 cm (1/4 pulg).
- Usa la pluma para trazar una línea de 5 cm (2 pulg) de la orilla de la tapa hacia el centro de la misma.
- Con la pluma, escribe la palabra COMIENZO sobre la línea de 5 cm (2 pulg) que trazaste en la tapa.

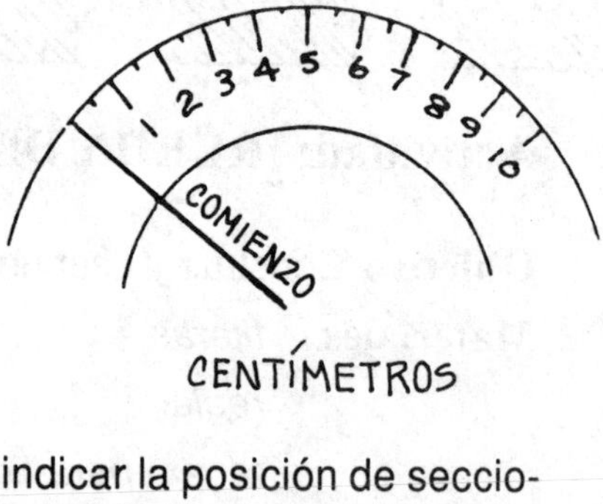

- Usa la tira de papel para indicar la posición de secciones de 1/2 cm (1/4 pulg) alrededor de la orilla de la tapa. Parte de la línea de COMIENZO y marca cada sección de 1/2 cm (1/4 pulg) con la pluma.

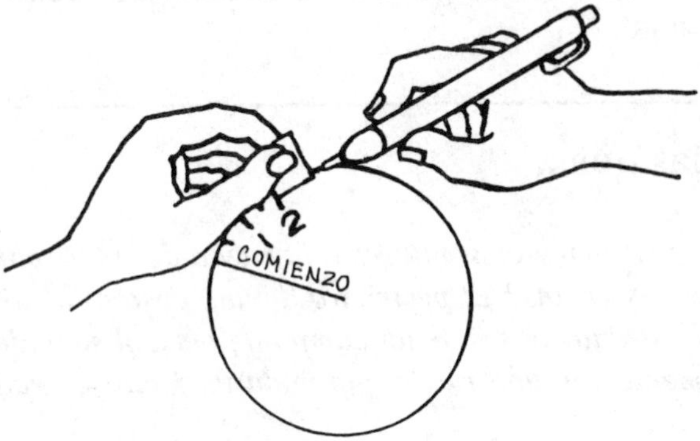

■ Numera cada segunda línea para medir centímetros. (Para medir pulgadas, numera cada cuarta línea.)

■ Introduce el lápiz hasta la mitad por el centro de la tapa de plástico.

■ Coloca la línea de COMIENZO sobre la orilla de un libro.

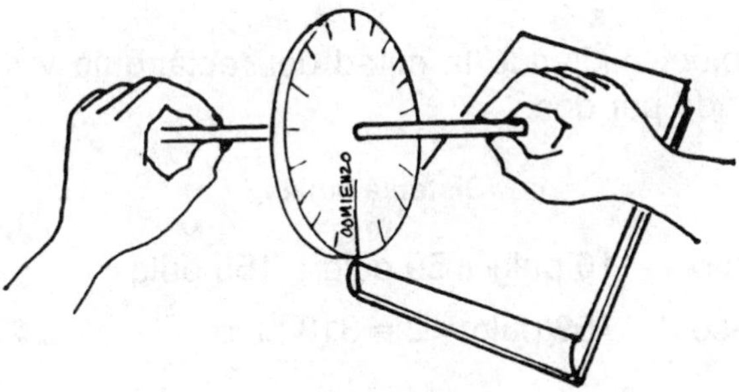

■ Mide el perímetro del libro sosteniendo el lápiz y girando la tapa por la orilla exterior del libro.

Resultados El perímetro del libro se determina por el número de vueltas de la tapa más la fracción de vuelta que quede al final.

¿Sabías que...

Se usan instrumentos similares a tu rueda de medir para calcular distancias? El perímetro de una casa o las distancias entre las bases de un campo de béisbol se miden rápidamente con una rueda que mida un metro en cada vuelta.

Solución a los ejercicios

1. El perímetro del rectángulo se calcula al sumar las longitudes de los cuatro lados:

   254 cm + 150 cm + 254 cm + 150 cm = 808 cm

   (100 pulg + 59 pulg + 100 pulg + 59 pulg = 318 pulg)

   o bien, midiendo la mitad del rectángulo y multiplicando por dos:

   Sistema inglés

   Paso 1 10 pulg + 59 pulg = 159 pulg

   Paso 2 159 pulg × 2 = 318 pulg

   Sistema métrico

   Paso 1 254 cm + 150 cm = 404 cm

   Paso 2 404 cm × 2 = 808 cm

2. El perímetro de polígonos de forma irregular se calcula al sumar las longitudes de todos los lados.

Sistema inglés

2 pulg + 4 pulg + 5 pulg + 8 pulg + 6 pulg = 25 pulg

Sistema métrico

5 cm + 10 cm + 12.7 cm + 20.3 cm + 15 cm = 63 cm

***3. a.** Acomodar los cuatro cuadrados para formar un cuadrado grande.

¡Piensa!

Número de lados × longitud de cada lado = Perímetro

8 lados × 5 cm (2 pulg) = 40 cm (16 pulg)

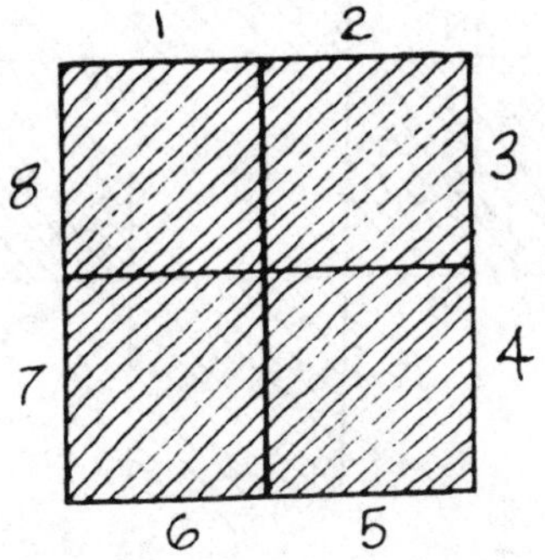

b. Coloca los cuadrados haciendo coincidir sus lados para formar una línea recta.

¡Piensa!

Número de lados × longitud de cada lado = Perímetro

10 lados × 5 cm (2 pulg) = 50 cm (20 pulg)

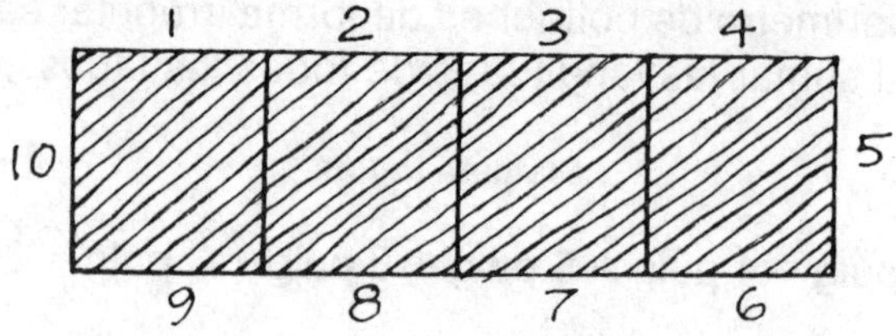

c. Acomoda los cuadrados para formar una cruz.

¡Piensa!

Número de lados × longitud de cada lado = Perímetro

12 lados × 5 cm (2 pulg) = 60 cm (24 pulg)

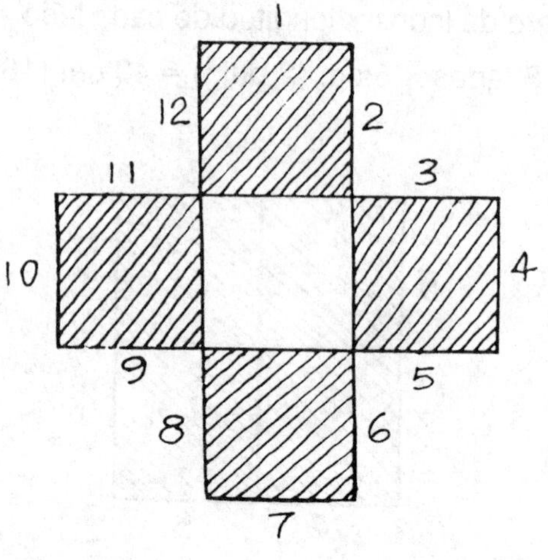

9

Diámetro

Objetivo Medir el diámetro de un círculo.

Información Una línea recta que pasa por dos puntos diferentes de un círculo se llama **cuerda.** Una cuerda que pasa por el centro de un círculo se llama **diámetro.** Cualquier línea que una el centro de un círculo con cualquier punto de la circunferencia se llama **radio.** Un radio es igual a la mitad de la longitud del diámetro

Problemas

Pregunta Estudia los diagramas y determina la longitud del radio o del diámetro de cada uno.

Sistema inglés

a. Diámetro = 8 pulg

Radio = 1/2 del diámetro

= 1/2 × 8 pulg

= 4 pulg

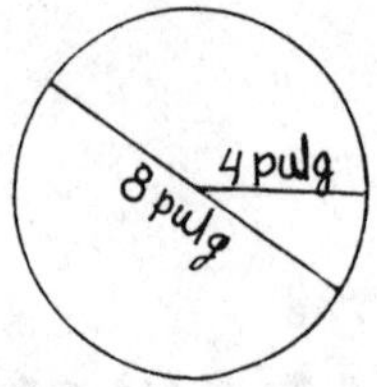

Sistema métrico

Diámetro = 20 cm

Radio = 1/2 del diámetro

= 1/2 × 20 cm

= 10 cm

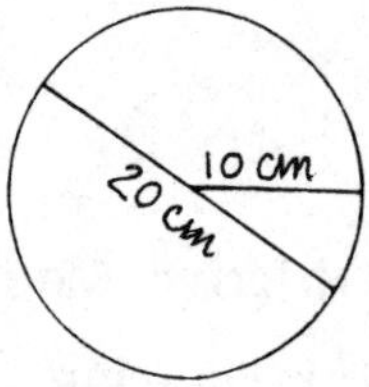

Sistema inglés

b. Radio = 2 pulg

Diámetro = 2 × radio

= 2 × 2 pulg

= 4 pulg

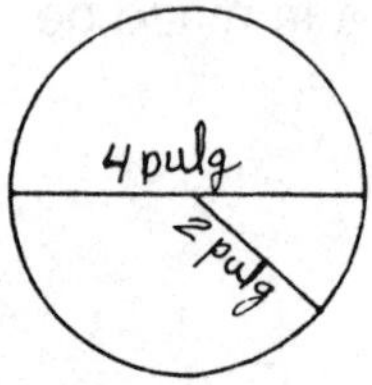

Sistema métrico

Radio = 5 cm

Diámetro = 2 × radio

= 2 × 5 cm

= 10 cm

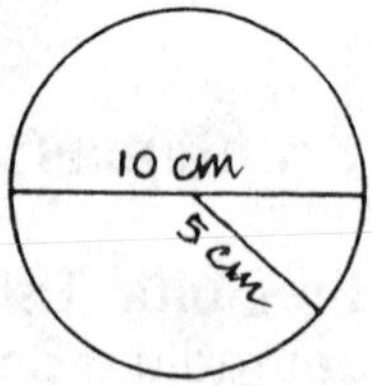

Ejercicios

1. Estudia los diagramas y determina la longitud del radio y el diámetro de cada uno.

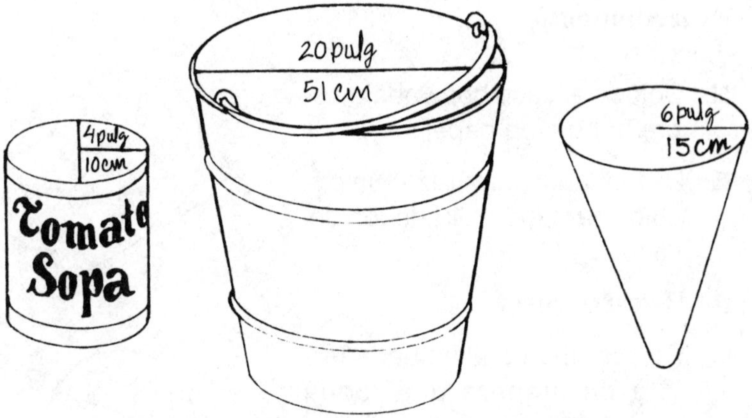

*2. Se usan tres cuerdas en el diagrama para cortar el círculo en 7 partes. Usa 5 cuerdas para cortar el círculo en 16 partes.

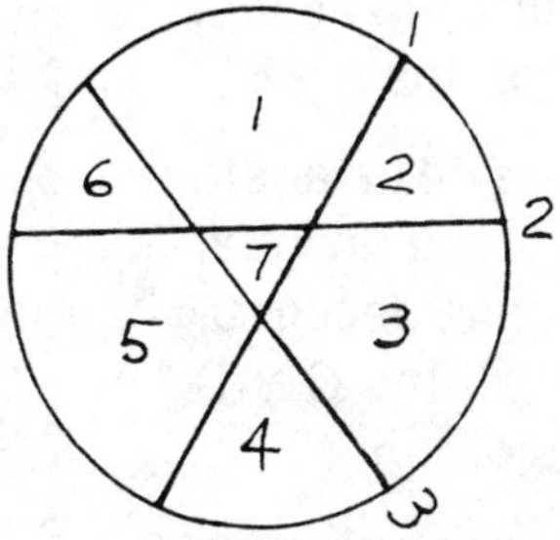

Actividad: CENTRO

Objetivo Hallar el centro de un círculo.

Materiales *lápiz*
vaso de vidrio

regla

tarjeta para ficha bibliográfica

hoja de papel para escribir a máquina

Procedimiento

- Coloca el vaso boca abajo sobre la hoja de papel.
- Usa el lápiz para trazar un círculo marcando alrededor del vaso.
- Retira el vaso.

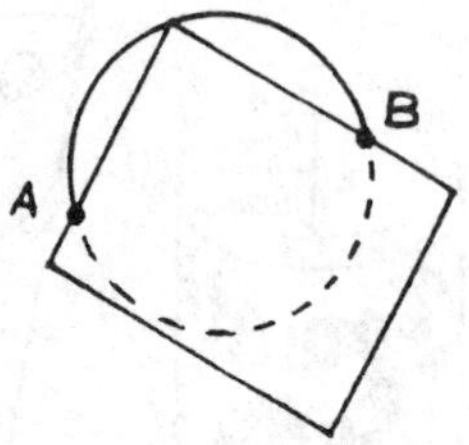

- Coloca una esquina de la tarjeta de manera que toque cualquier punto de la orilla del círculo y luego marca los puntos A y B sobre el círculo como se indica en el dibujo.

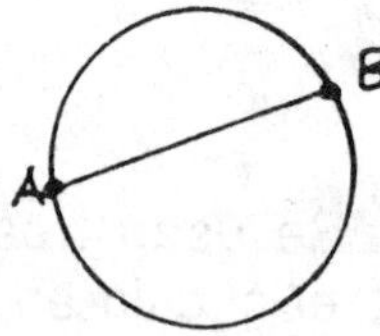

- Usa la regla para trazar una recta entre los puntos A y B.
- Coloca la esquina de la tarjeta de manera que toque un lugar diferente de la orilla del círculo y marca los puntos C y D como en el dibujo.

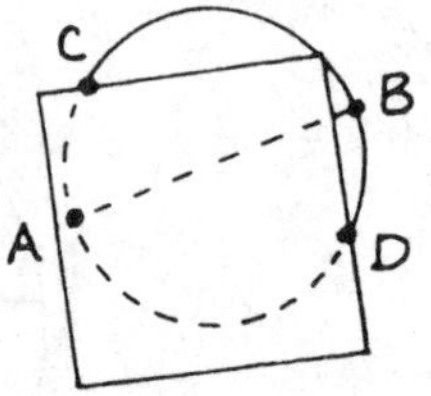

- Usa la regla para trazar una recta entre los puntos C y D.

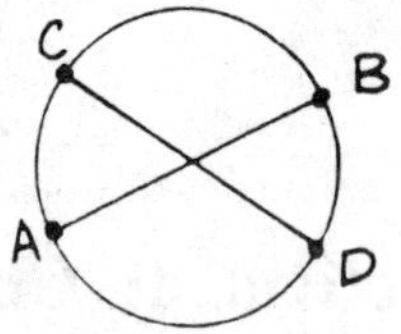

Resultados Las rectas se intersectan en el centro del círculo. No importa en dónde coloques la tarjeta ni cuántas líneas traces; todas se intersectarán en el centro del círculo.

¿Sabías que...

El diámetro promedio de un cabello humano es de alrededor de 0.0635 mm?

Solución a los ejercicios

1. a.

Sistema inglés

Radio = 4 pulg

Diámetro = 2 × radio

= 2 × 4 pulg

= 8 pulgadas

Sistema métrico

Radio = 10 cm

Diámetro = 2 × radio

= 2 × 10 cm

= 20 cm

b.

Sistema inglés

Diámetro = 20 pulg

Radio = 1/2 del diámetro

= 1/2 × 20 pulg

= 10 pulg

Sistema métrico

Diámetro = 51 cm

Radio = 1/2 diámetro

= 1/2 × 51 cm

= 25.5 cm

c.

Sistema inglés

Radio = 6 pulg

Diámetro = 2 × radio

= 2 × 6 pulg

= 12 pulg

Sistema métrico

Radio = 15 cm

Diámetro = 2 × radio

= 2 × 15 cm

= 30 cm

***2.**

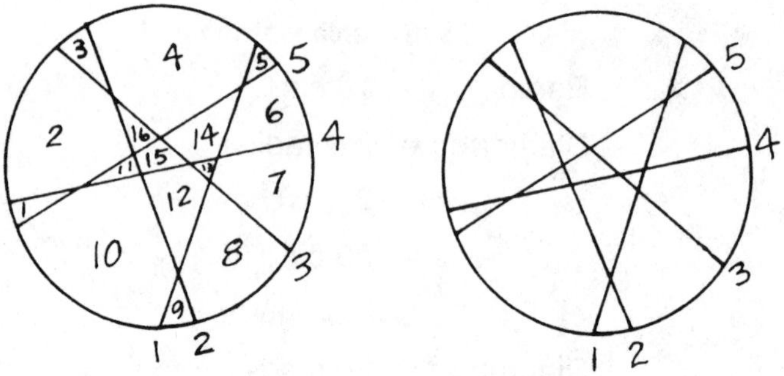

10

Circunferencia

Objetivo Calcular el perímetro de un círculo por medio de la fórmula $p = \pi \times d$.

Información La fórmula $p = \pi \times d$ se lee como sigue:

perímetro = pi por el diámetro.

El **Perímetro** de cualquier círculo dividido entre su diámetro es aproximadamente igual a 3.14. Este número, 3.14, se llama pi (se representa por la letra griega π) y es igual para todos los círculos cualquiera que sea su tamaño.

Nota: Acabas de aprender una de las cosas realmente grandiosas de las matemáticas. Existen *relaciones* que, una vez descubiertas, tienen validez universal. No importa qué tan grande sea el círculo ni de qué esté hecho ni quién lo haya hecho; pi *siempre* es igual a 3.14.

Problema

Pregunta Calcula el perímetro de cada círculo utilizando la fórmula.

1. a.

Sistema inglés

Diámetro = 4 pulg

π = 3.14

Fórmula: p = $\pi \times d$

= 3.14 × 4 pulg

= 12.56 pulg

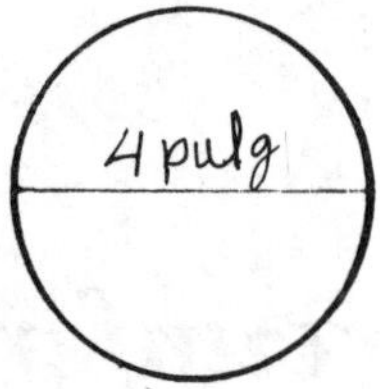

Sistema métrico

Diámetro = 10 cm

π = 3.14

Fórmula: p = $\pi \times d$

= 3.14 × 10 cm

= 31.4 cm

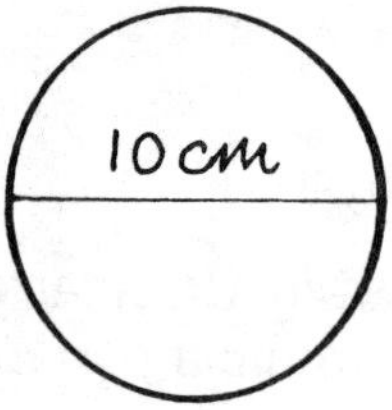

1. b.

Sistema inglés

Radio = 3 pulg

Diámetro = 2 × 3 pulg = 6 pulg

π = 3.14

Fórmula: p = $\pi \times d$

= 3.14 × 6 pulg

= 18.84 pulg

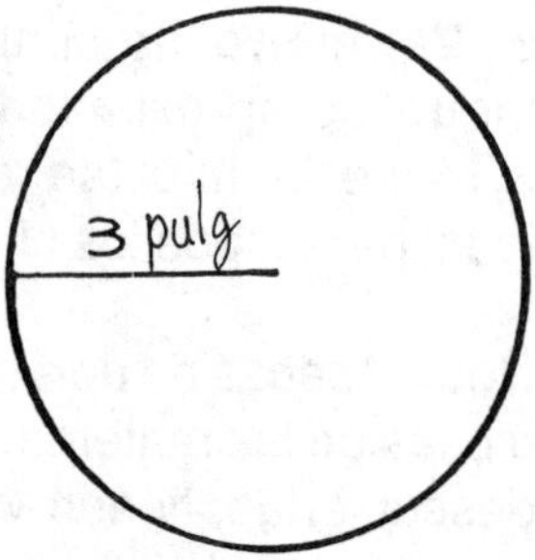

Sistema métrico

Radio = 7.5 cm

Diámetro = 2 × 7.5 cm = 15 cm

π = 3.14

Fórmula: p = $\pi \times d$

= 3.14 × 15 cm

= 47.1 cm

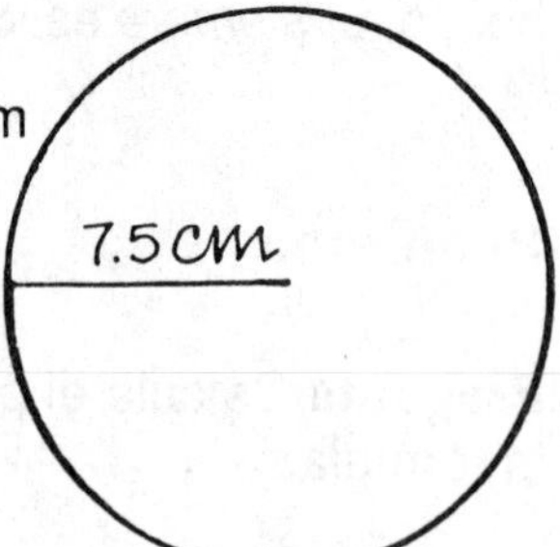

Ejercicios

1. Determina el perímetro de un círculo con:

a. Un diámetro de 25 cm (10 pulg).

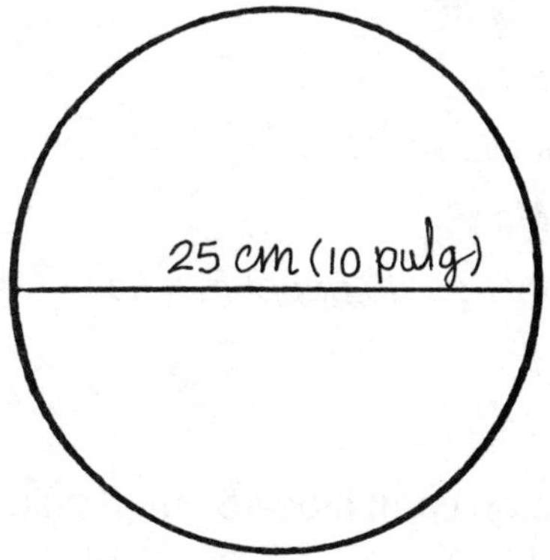

b. Un radio de 15 cm (6 pulg).

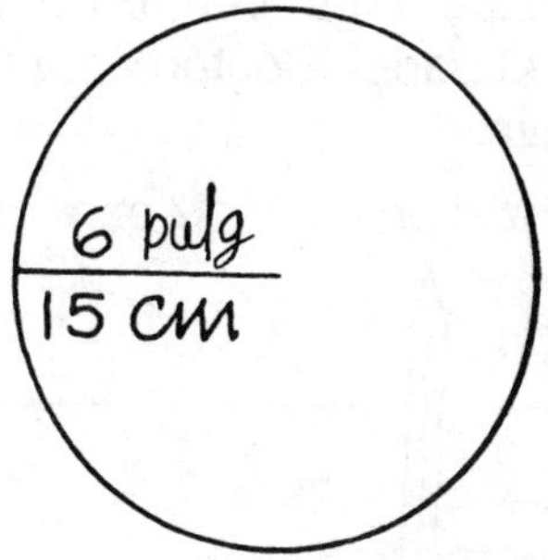

2. Un niño gira una cuerda de 200 cm (80 pulg) de largo. ¿Qué distancia recorre la bola que está sujeta en el extremo de la cuerda en una vuelta completa?

3. Un disco fonográfico tiene un radio de 14 cm (5.5 pulg). ¿Qué distancia recorre un punto de la orilla del disco en cuatro vueltas?

Actividad: TRAZO DE UN CÍRCULO

Objetivo Trazar círculos de diferentes diámetros.

Materiales *2 lápices*
tijeras
cuerda (cordón)
regla
1/2 pliego de papel manila

Procedimiento

- Corta un trozo de cordón de 15 cm (6 pulg) de largo.
- Amarra un extremo del cordón alrededor de un lápiz y haz una lazada en el otro extremo del cordón.
- Coloca la lazada en el centro del papel manila.
- Coloca el otro lápiz en el centro de la lazada con la goma tocando el papel. Sostén este lápiz de manera que no se mueva.
- Jala hacia afuera el primer lápiz para estirar el cordón.

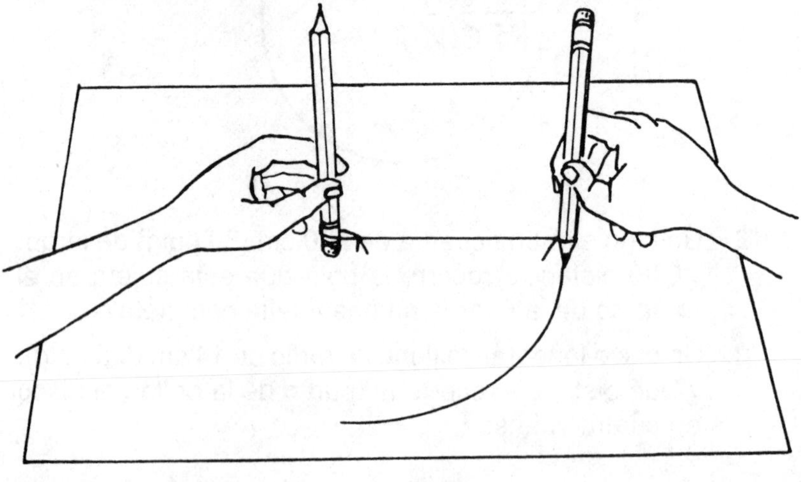

- Mueve en círculo el lápiz amarrado, oprimiendo su punta contra el papel hasta que traces un círculo completo.
- Cambia la longitud del cordón y repite la operación.

Resultados La punta del lápiz marca el contorno de un círculo. La longitud del cordón es igual al **radio** del círculo. Al aumentar la longitud del cordón (el radio), aumenta el tamaño del círculo.

¿Sabías que...

La circunferencia de la Tierra en el ecuador es de 39 842.336 km (24 901.46 millas)? La circunferencia de la Tierra pasando por los polos es 72 km (45 millas) menor que alrededor del ecuador.

Solución a los ejercicios

1. a.

Sistema inglés

$$\text{Diámetro} = 10 \text{ pulg}$$
$$\pi = 3.14$$
$$\text{Fórmula: } p = \pi \times d$$
$$= 3.14 \times 10 \text{ pulg}$$
$$= 31.4 \text{ pulg}$$

Sistema métrico

$$\text{Diámetro} = 25 \text{ cm}$$
$$\pi = 3.14$$
$$\text{Fórmula: } p = \pi \times d$$
$$= 3.14 \times 25$$
$$= 78.5 \text{ cm}$$

1. b.

Sistema inglés

Radio $= 6$ pulg
Diámetro $= 2 \times 6$ pulg $= 12$ pulg
$\pi = 3.14$
Fórmula: $p = \pi \times d$
$= 3.14 \times 12$ pulg
$= 37.68$ pulg

Sistema métrico

Radio $= 15$ cm
Diámetro $= 2 \times 15$ cm $= 30$ cm
$\pi = 3.14$
Fórmula: $p = \pi \times d$
$= 3.14 \times 30$ cm
$= 94.2$ cm

2. La longitud de la cuerda es igual al radio del círculo y la distancia recorrida por la bola en una vuelta es igual a la circunferencia del círculo.

Sistema inglés

Radio $= 80$ pulg
Diámetro $= 2 \times 80$ pulg $= 160$ pulg
$\pi = 3.14$
Fórmula: $p = \pi \times d$
$= 3.14 \times 160$ pulg
$= 502.4$ pulg

Sistema métrico

Radio $= 200$ cm
Diámetro $= 2 \times 200$ cm $= 400$ cm
$\pi = 3.14$
Fórmula: $p = \pi \times d$
$= 3.14 \times 400$ cm
$= 1\ 256$ cm

3. La distancia recorrida por un punto de la orilla del disco en cuatro vueltas es igual a cuatro veces la circunferencia del disco.

Sistema inglés

Radio $= 5.5$ pulg

Diámetro $= 2 \times 5.5$ pulg $= 11$ pulg

$\pi = 3.14$

Fórmula: $p = \pi \times d$

$= 3.14 \times 11$ pulg

$= 34.54$ pulg

Distancia total $= 4 \times p$

$= 4 \times 34.54$ pulg

$= 138.16$ pulg

Sistema métrico

Radio $= 14$ cm

Diámetro $= 2 \times 14$ cm $= 28$ cm

$\pi = 3.14$

Fórmula: $p = \pi \times d$

$= 3.14 \times 28$ cm

$= 87.92$ cm

Distancia total $= 4 \times p$

$= 4 \times 87.92$ cm

$= 351.68$ cm

11

Área de rectángulos y cuadrados

Objetivo Calcular el área de un rectángulo o cuadrado por medio de la fórmula $A = b \times h$.

Información La fórmula $A = b \times h$ se lee como sigue:

Área = base por altura

Los lados a y b del diagrama pueden marcarse indistintamente como la base o la altura, sin que cambie el resultado.

Ejemplo 1

Sistema inglés

A = base por altura
  = 4 pulg × 2 pulg
  = 8 pulg²

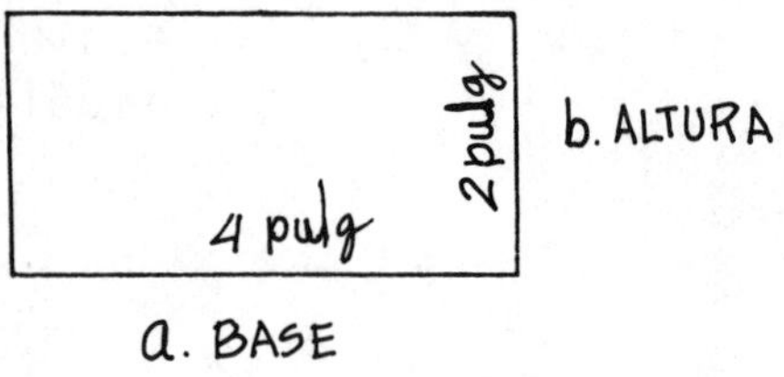

Sistema métrico

A = base por altura
  = 10 cm × 5 cm
  = 50 cm²

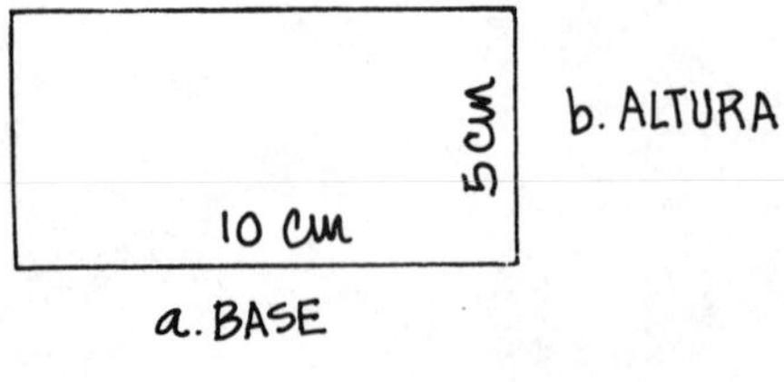

Ejemplo 2

Sistema inglés

A = base por altura
= 2 pulg × 4 pulg
= 8 $pulg^2$

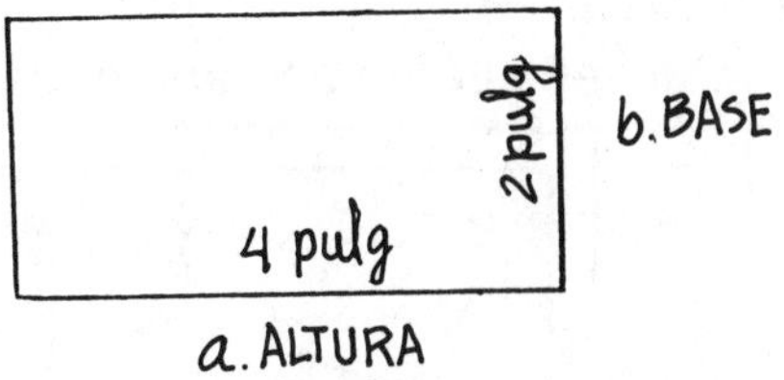

Sistema métrico

A = base por altura
= 10 cm × 5 cm
= 50 cm^2

Cuando se multiplican dos unidades, como metros × metros, se coloca un pequeño 2 a la derecha y arriba del nombre o símbolo de la unidad, como m^2 y la combinación se lee "metros cuadrados". ($pies^2$ se lee "pies cuadrados".)

Problema

Pregunta Si las medidas de un escritorio son 1.7 m (5.5 pies) de largo y 1.2 m (4 pies) de ancho, ¿cuál es el área de la cubierta del escritorio?

Sistema inglés

A = base por altura
= 4 pies × 5.5 pies
= 22 $pies^2$

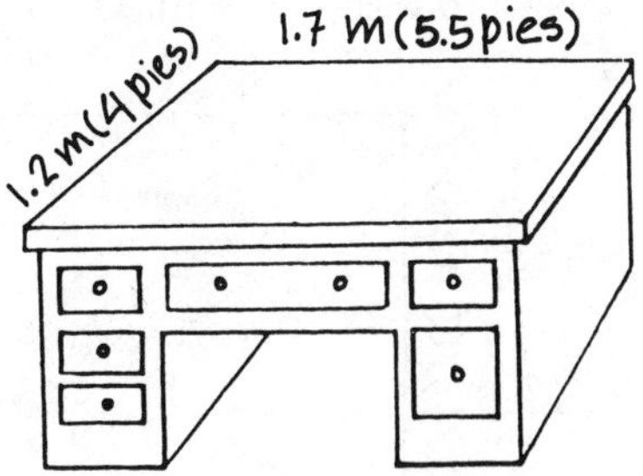

Sistema métrico

A = base por altura
= 1.2 m × 1.7 m
= 2.04 m^2

Ejercicios

1. ¿Cuál es el área del tablero de avisos?

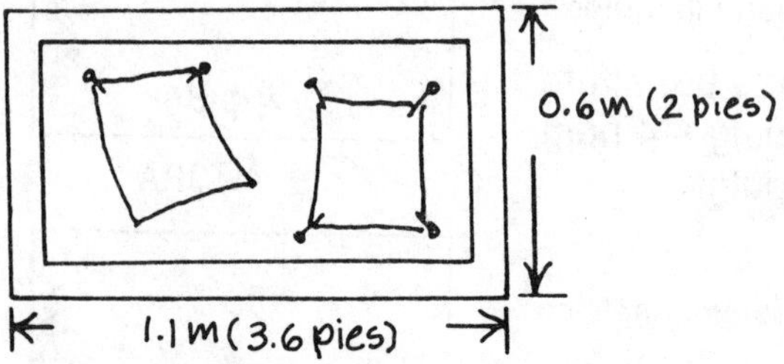

2. El estado de Colorado es casi rectangular. Determina su área.

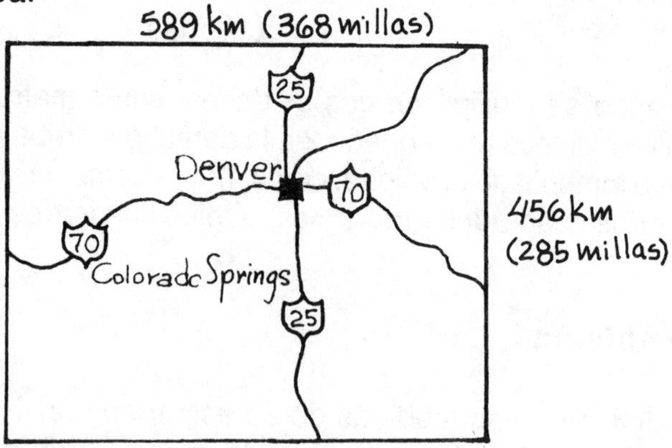

3. 1 litro (1 cuarto de galón) de pintura cubre un área de 10.2 m^2 (110 $pies^2$). ¿Es suficiente un litro (cuarto de galón) para cubrir un muro de 4 m (13 pies) de ancho y 2.4 m (8 pies) de altura?

Actividad: MÁS GRANDE

Objetivo Determinar cómo afecta el área a la velocidad de caída de los objetos.

Materiales *bolsa de plástico para basura*
tijeras
cuerda (cordón)
regla
2 argollas pequeñas de igual tamaño y peso

Procedimiento

- Corta ocho trozos de cordón, cada uno de 60 cm (24 pulg) de largo.
- Mide y corta un cuadrado de 25 cm (10 pulg) por lado, de la bolsa de plástico.
- Amarra un cordón a cada esquina de la hoja de plástico (paracaídas).
- Asegúrate de que los cuatro cordones que quedan sueltos sean del mismo largo y júntalos todos en un nudo.
- Usa un cordón de alrededor de 15 cm (6 pulg) de largo para sujetar una de las argollas al nudo que une los cordones del paracaídas.

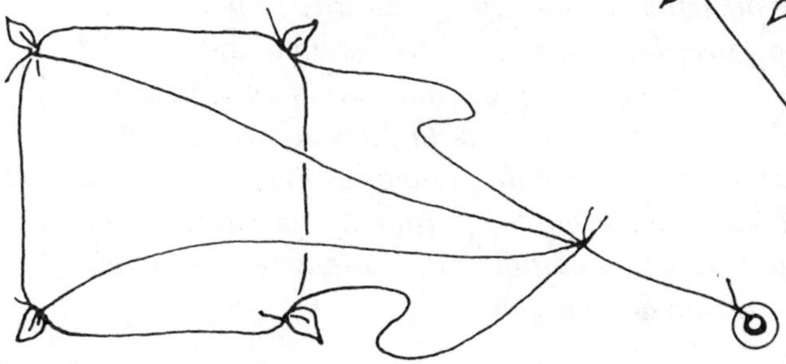

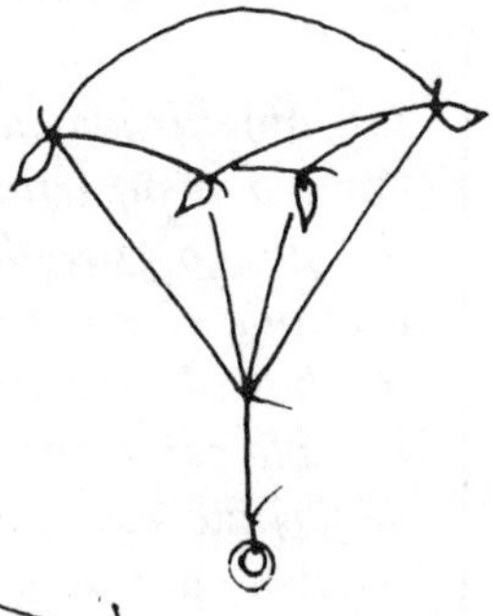

- Haz un segundo paracaídas más grande de plástico con un cuadrado de 60 cm (24 pulg) por lado y con los cuatro cordones restantes.
- Amarra los cuatro cordones en un nudo y sujeta la segunda argolla al nudo con un trozo de cordón de 15 cm (6 pulg).
- Para probar los paracaídas, sostén cada uno tomándolo del centro de la hoja de plástico y aplana el plástico.
- Dobla el plástico a la mitad.
- Enrolla el cordón alrededor del plástico doblado dejándolo muy suelto.
- Lanza los paracaídas al aire, uno primero y otro después y observa el tiempo que tarda cada uno en regresar a tierra.

Resultados El paracaídas más grande se abre y flota hacia la tierra más lentamente que el paracaídas más pequeño. Las argollas son del mismo peso, tienen la misma resistencia al aire y no afectan la velocidad relativa.

¿Sabías que...

Los objetos chocan contra el aire al caer? Mientras mayor sea la superficie de un objeto, más aire se junta cuando cae. La gravedad jala a las cosas hacia abajo, pero el aire que se junta bajo el objeto que cae lo empuja hacia arriba. El aire que se junta en un paracaídas hace más lenta la caída de una persona. Algunos insectos tienen una superficie tan grande en comparación con su peso que pueden caer desde un edificio alto y alejarse caminando sin haber sufrido daño alguno.

Solución a los ejercicios

1.

Sistema inglés

A = base por altura
= 3.6 pies × 2 pies
= 7.2 $pies^2$

Sistema métrico

A = base por altura
= 1.1 m × .6 m
= .66 m^2

2.

Sistema inglés

A = base por altura
= 368 mi × 285 mi
= 104 880 mi^2

Sistema métrico

A = base por altura
A = 589 km × 456 km
= 268 584 km^2

*3.

Sistema inglés

A = base por altura
= 13 pies × 8 pies
= 104 $pies^2$

¡Piensa!

1 cuarto de galón cubre 110 $pies^2$. 104 $pies^2$ es menos que 110 $pies^2$.

Respuesta Sí, 1 cuarto de galón es suficiente pintura.

A = base por altura
$= 4\text{ m} \times 2.4\text{ m}$
$= 9.6\text{ m}^2$

¡Piensa!

1 litro cubre 10.2 m^2. 9.6 m^2 es un área menor que 10.2 m^2.

Respuesta Sí, 1 litro es suficiente pintura.

12

Área de triángulos

Objetivo Hallar el área de un triángulo por medio de la fórmula A = 1/2 × b × h.

Información Un **triángulo** es un plano con tres lados que se cruzan para formar tres vértices o puntas. Un **plano** es cualquier superficie plana. Un **vértice** es el punto que se forma cuando dos líneas rectas se cruzan y forman un cierto ángulo. **Perpendiculares** son dos rectas que forman un ángulo de 90° (90 grados).

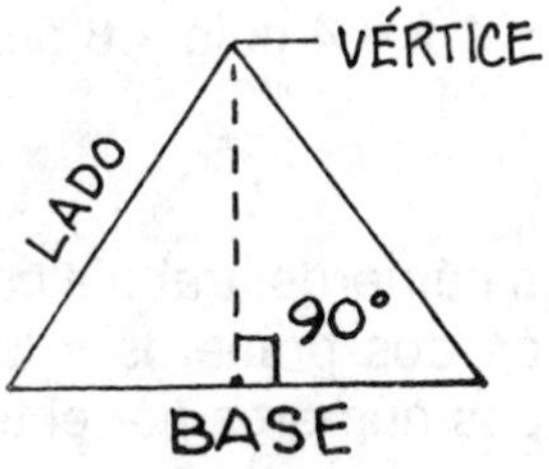

La fórmula

$$A = 1/2 \times b \times h$$

se lee como:

Área = un medio por la base por la altura

La altura de un triángulo es una línea recta perpendicular a un lado, trazada desde un vértice. A este lado se le llama base y se dibuja un pequeño cuadrado entre la línea de la altura y la base para indicar que se encuentran en un ángulo de 90°.

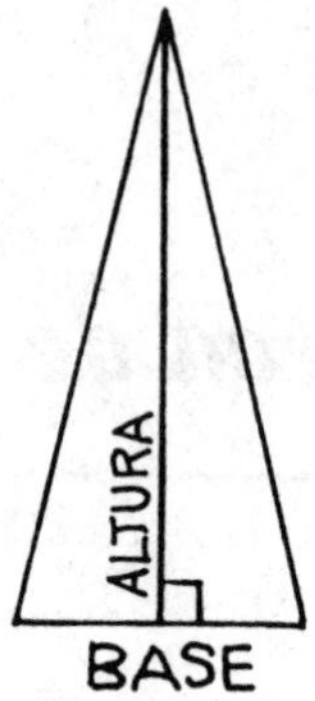

Problemas

Pregunta Hallar el área del triángulo. La altura es la recta que forma un ángulo de 90° con la base.

Sistema inglés

Fórmula: $A = 1/2 \times b \times h$

Altura = 8 pulg

Base = 4 pulg

Área = 1/2 × 4 pulg × 8 pulg

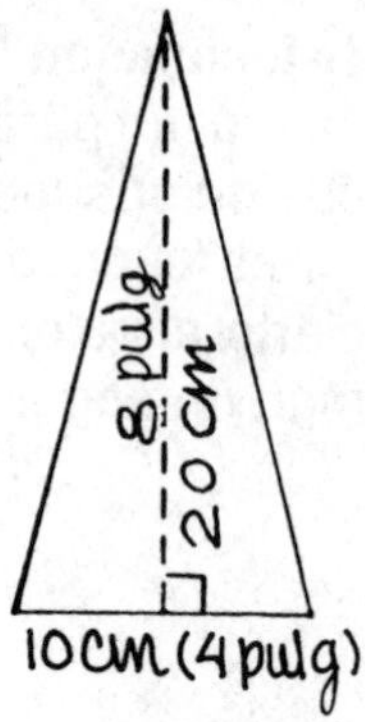

Para multiplicar tres números, trabaja con dos números a la vez. Multiplica los dos primeros y luego multiplica el producto de éstos dos números por el tercero.

¡Piensa!

1/2 × 4 pulg = 2 pulg

en consecuencia,

$A = 2 \text{ pulg} \times 8 \text{ pulg} = 16 \text{ pulg}^2$

Sistema métrico

Fórmula: $A = 1/2 \times b \times h$

Altura = 20 cm

Base = 10 cm

Área = $1/2 \times 10\ \text{cm} \times 20\ \text{cm}$

¡Piensa!

$1/2 \times 10\ \text{cm} = 5\ \text{cm}$

en consecuencia,

$A = 5\ \text{cm} \times 20\ \text{cm} = 100\ \text{cm}^2$

Pregunta Hallar el área del triángulo.

La línea de la altura en este triángulo es también uno de los lados.

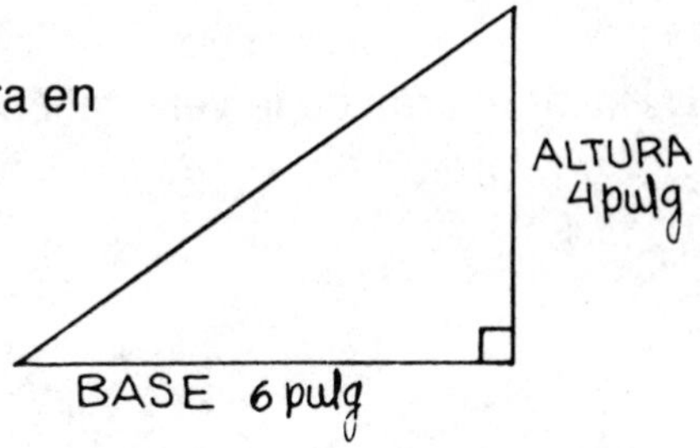

Sistema inglés

Fórmula: $A = 1/2 \times b \times h$

Altura = 4 pulg

Base = 6 pulg

Área = $1/2 \times 6\ \text{pulg} \times 4\ \text{pulg}$

¡Piensa!

$1/2 \times 6\ \text{pulg} = 3\ \text{pulg}$

en consecuencia,

$A = 3\ \text{pulg} \times 4\ \text{pulg} = 12\ \text{pulg}^2$

Sistema métrico

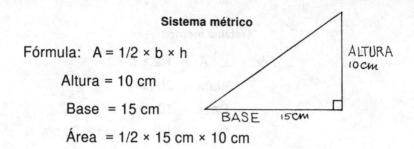

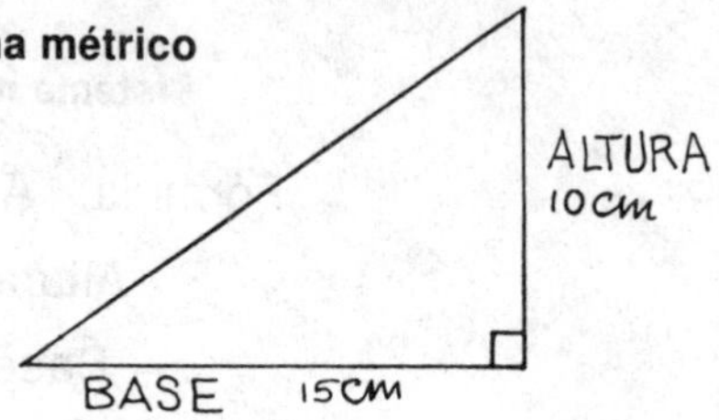

Fórmula: $A = 1/2 \times b \times h$

Altura = 10 cm

Base = 15 cm

Área = 1/2 × 15 cm × 10 cm

¡Piensa!

1/2 × 15 cm = 7.5 cm

en consecuencia,

$A = 7.5 \text{ cm} \times 10 \text{ cm} = 75 \text{ cm}^2$

Ejercicios

1. Hallar el área de la vela del bote.

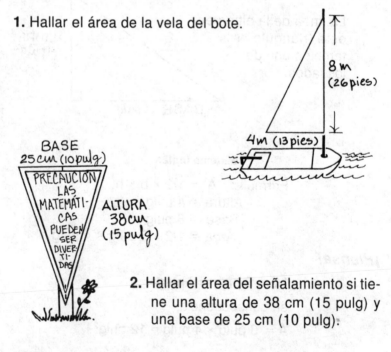

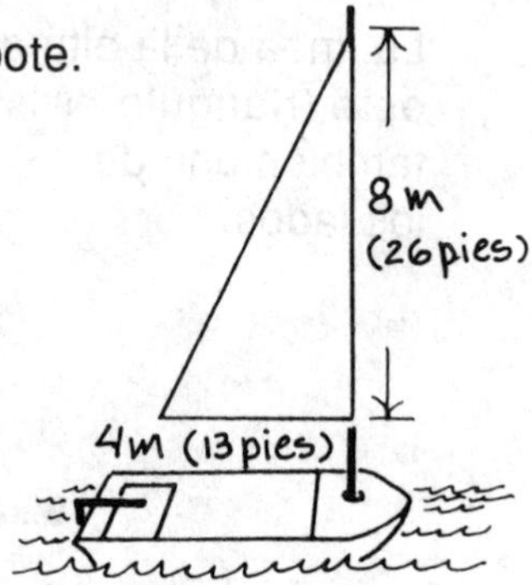

2. Hallar el área del señalamiento si tiene una altura de 38 cm (15 pulg) y una base de 25 cm (10 pulg).

Actividad: IGUALDAD

Objetivo Demostrar cómo se determina la fórmula para el área de los triángulos, A = 1/2 × b × h.

Materiales *lápiz*

crayón rojo

regla

hoja de papel para escribir a máquina

tijeras

Procedimiento

- Traza con el lápiz dos figuras; un rectángulo de 10 cm (4 pulg) x 12 cm (4 3/4 pulg) y un cuadrado de 10 cm (4 pulg) por lado.

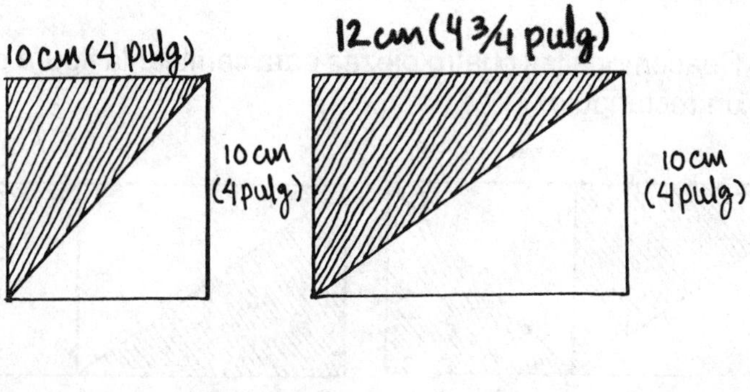

- Traza una línea diagonal en cada una de las figuras.
- Colorea de rojo uno de los triángulos de cada figura y deja los dos triángulos restantes sin colorear.
- Utiliza las tijeras para recortar los cuatro triángulos.
- Acomoda las cuatro piezas para formar dos triángulos separados, uno coloreado y otro sin colorear.

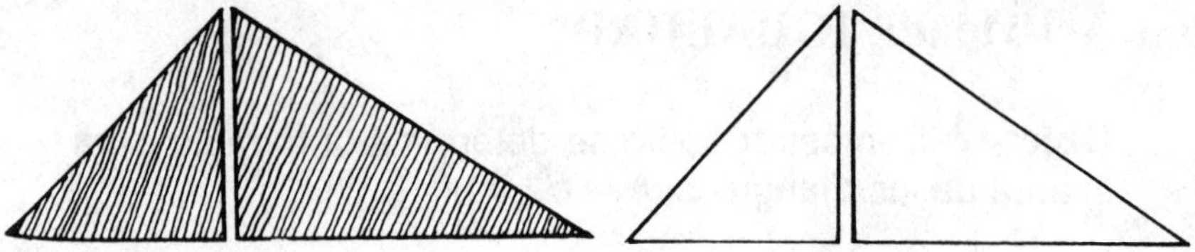

- Compara los tamaños de los dos triángulos.
- Combina las cuatro piezas para formar un romboide.

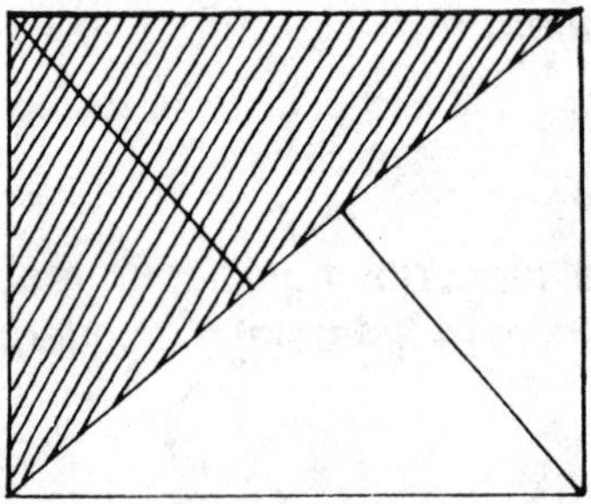

- Reacomoda las cuatro piezas para cambiar la figura por un rectángulo.

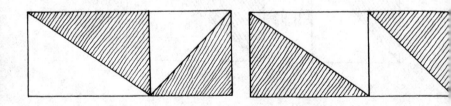

Resultados El rectángulo está formado por dos triángulos, cada uno con la misma área que el otro. El área de un rectángulo se calcula por medio de la fórmula

$$A = \text{base} \times \text{altura}.$$

Como el área de cada triángulo es igual a la mitad del área del rectángulo, el área de cada triángulo separado se calcula multiplicando el área del rectángulo por 1/2. Una fórmula para el área de cada triángulo sería

$$A = 1/2 \times \text{base} \times \text{altura}$$

> **¿Sabías que...**
>
> *La pirámide más grande es la de Quetzalcóatl y se encuentra en Cholula Puebla, México? Esta estructura mide 54.5 m (177 pies) de altura y el área de su base es de 45 acres.*

Solución a los ejercicios

1.

Sistema inglés

Formula: $A = 1/2 \times b \times h$

Altura = 26 pies

Base = 13 pies

Área = 1/2 × 13 pies × 26 pies

¡Piensa!

1/2 × 13 pies = 6.5 pies

en consecuencia,

$A = 6.5 \text{ pies} \times 26 \text{ pies} = 169 \text{ pies}^2$

Sistema métrico

Fórmula: $A = 1/2 \times b \times h$

Altura = 8 m

Base = 4 m

Área = 1/2 × 4 m × 8 m

¡Piensa!

$1/2 \times 4\ cm = 2\ m$

en consecuencia,

$A = 2\ m \times 8\ m = 16\ m^2$

2.

Sistema inglés

Fórmula. $A = 1/2 \times b \times h$

Altura = 15 pulg

Base = 10 pulg

Área = $1/2 \times 10$ pulg $\times$ 15 pulg

¡Piensa!

$1/2 \times 10$ pulg = 5 pulg

en consecuencia,

A = 5 pulg $\times$ 15 pulg = 75 pulg^2

Sistema métrico

Fórmula: $A = 1/2 \times b \times h$

Altura = 38 cm

Base = 25 cm

Área = $1/2 \times 25\ cm \times 38\ cm$

¡Piensa!

$1/2 \times 25\ cm = 12.5\ cm$

en consecuencia,

$A = 12.5\ cm \times 38\ cm = 475\ cm^2$

13

Área de círculos

Objetivo Hallar el área de un círculo por medio de la fórmula $A = \pi r^2$.

Información La fórmula $A = \pi r^2$ se lee así:

Área = pi por el radio por el radio;

o sea, pi por el radio al cuadrado.

Como pi (π) siempre tiene el mismo valor (3.14) la fórmula puede escribirse como:

$$\text{Área} = 3.14 \times \text{radio} \times \text{radio} = 3.14\ r^2$$

Problemas

Pregunta Un tapete circular tiene un radio de 2 m (7 pies). ¿Cuál es el área del tapete?

Sistema inglés

Fórmula: $A = \pi \times r \times r$

Radio = 7 pies

$\pi = 3.14$

$A = 3.14 \times 7 \text{ pies} \times 7 \text{ pies}$

¡Piensa!

3.14 × 7 pies = 21.98 pies

en consecuencia,

A = 21.98 pies × 7 pies = 153.86 pies²

Para multiplicar tres números, trabaja con dos números a la vez. Multiplica los dos primeros y luego multiplica el producto de estos dos números por el tercero.

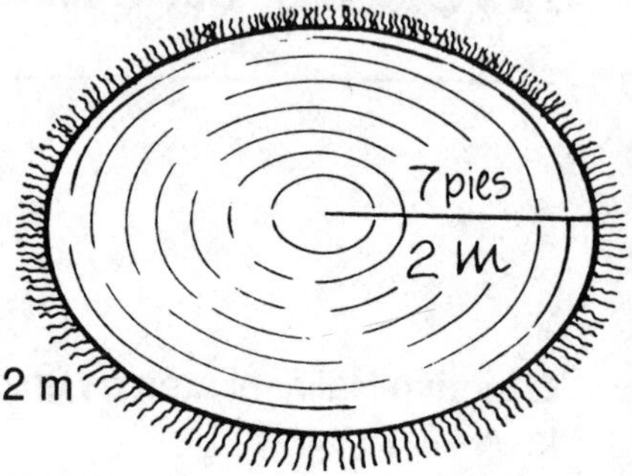

Sistema métrico

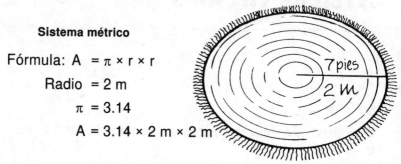

Fórmula: A $= \pi \times r \times r$

Radio = 2 m

$\pi = 3.14$

A = 3.14 × 2 m × 2 m

¡Piensa!

3.14 × 2 m = 6.28 m

en consecuencia,

A = 6.28 m × 2 m = 12.56 m

Pregunta Hallar el área de una galleta que tiene un diámetro de 10 cm (4 pulg).

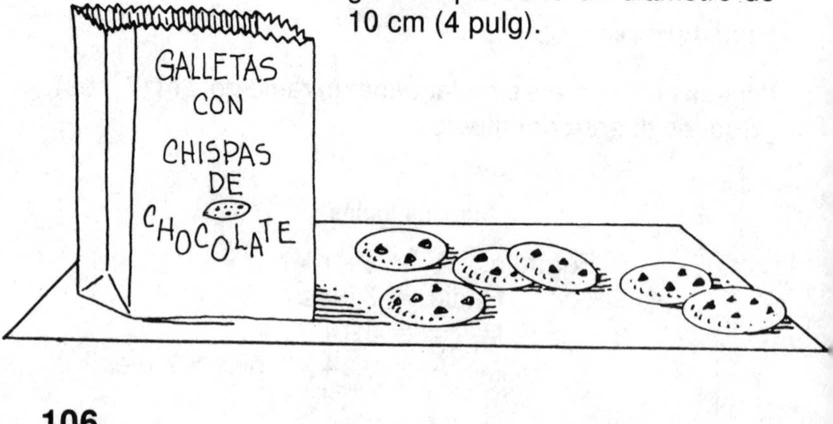

Sistema inglés

Fórmula: A = π × r × r
Diámetro = 4 pulg
Radio = 1/2 × diámetro
= 1/2 × 4 pulg = 2 pulg
π = 3.14
A = 3.14 × 2 pulg × 2 pulg

¡Piensa!

13.14 × 2 pulg = 6.28 pulg
en consecuencia,
A = 6.28 pulg × 2 pulg = 12.56 $pulg^2$

Sistema métrico

Fórmula: A = π × r × r
Diámetro = 10 cm
Radio = 1/2 × diámetro
= 1/2 × 10 cm = 5 cm
π = 3.14
A = 3.14 × 5 cm × 5 cm

¡Piensa!

3.14 × 5 cm = 15.7 cm
en consecuencia,
A = 15.7 cm × 5 cm = 78.5 cm^2

Ejercicios

1. Determina el área de la tapa de esta vasija.

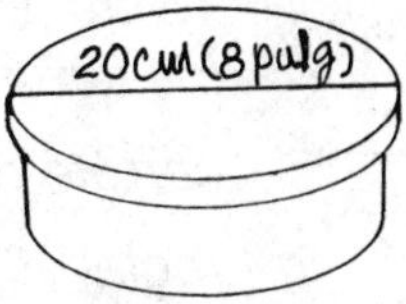

2. El segundero del reloj tiene 15 cm (6 pulg) de largo. Determina el área que recorre esta manecilla en 1 minuto.

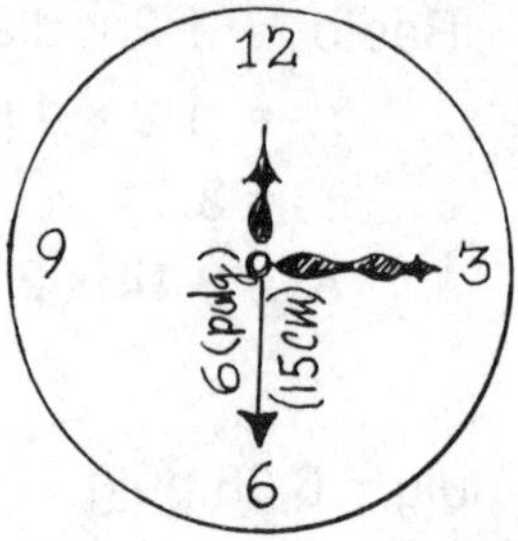

3. Se recortó un círculo a partir de un cuadrado de 30 cm (12 pulg) de material. ¿Cuánto material no se usó?

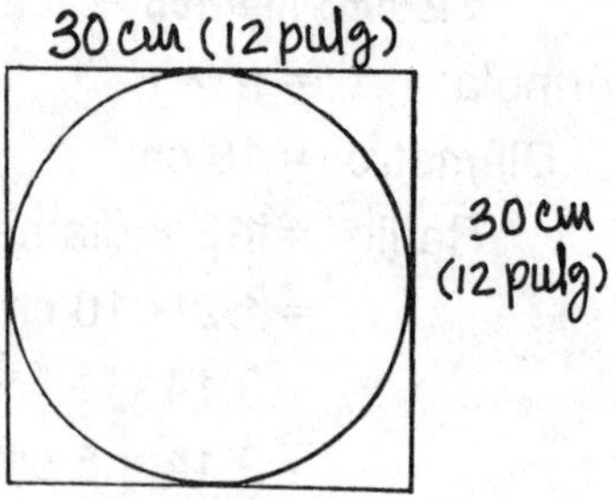

Actividad: ¿QUÉ TAN GRANDE?

Objetivo Demostrar el efecto que tiene el cambio de la longitud del radio en el tamaño de un círculo.

Materiales *3 objetos circulares con diámetros de aproximadamente 5 cm (2 pulg), 10 cm (4 pulg) y 15 cm (6 pulg) (**Nota:** No es importante que los tamaños sean exactos).*

carrete de hilo

regla

lápiz

tijeras

hoja de papel para escribir a máquina

alfiler

Procedimiento

- Usa los objetos circulares para dibujar tres círculos separados en la hoja de papel, con diámetros de aproximadamente 5 cm (2 pulg), 10 cm (4 pulg) y 15 cm (6 pulg).
- Usa las tijeras para recortar los círculos.
- Clava el alfiler en el centro del círculo más pequeño.
- Coloca el papel en la palma de tu mano con la punta del alfiler hacia arriba.
- Desprende el papel que cubre el agujero del carrete de hilo y coloca el agujero del carrete sobre el alfiler.
- Sostén el carrete y sopla por el agujero.
- Quita tu mano de abajo del papel mientras soplas por el carrete.
- Repite el procedimiento con los demás círculos de papel.

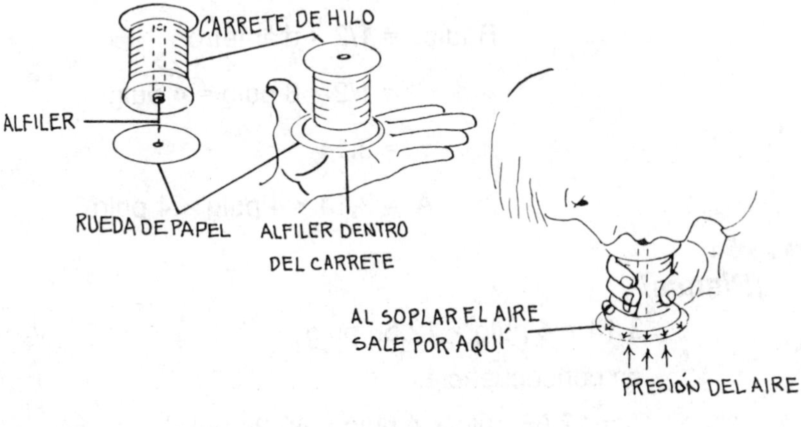

Resultados Los círculos más pequeños no se caen, sino que se quedan en la parte inferior del carrete. El aire pasa entre el papel y el carrete, produciendo un área de baja presión. El aire que está abajo del papel empuja hacia arriba con suficiente fuerza para impedir que se caiga. Los otros círculos resultan demasiado grandes para que los sostenga el aire. El círculo más grande se cae.

¿Sabías que...

La pizza más grande de que se tiene noticia tenía un diámetro de 3 051 cm (1 201 pulg)? Se cortó en 94 248 trozos.

Solución a los ejercicios

1.

Sistema inglés

Fórmula: $A = \pi \times r \times r$

Diámetro = 8 pulg

Radio = 1/2 × diámetro

= 1/2 × 8 pulg = 4 pulg

π = 3.14

A = 3.14 × 4 pulg × 4 pulg

¡Piensa!

3.14 × 4 pulg = 12.56 pulg

en consecuencia,

A = 12.56 pulg × 4 pulg = 50.24 $pulg^2$

Sistema métrico

Fórmula: $A = \pi \times r \times r$

Diámetro $= 20$ cm

Radio $= 1/2 \times$ diámetro

$= 1/2 \times 20 \text{ cm} = 10 \text{ cm}$

$\pi = 3.14$

$A = 3.14 \times 10 \text{ cm} \times 10 \text{ cm}$

¡Piensa!

$3.14 \times 10 \text{ cm} = 31.4 \text{ cm}$

en consecuencia,

$A = 31.4 \text{ cm} \times 10 \text{ cm} = 314 \text{ cm}^2$

2.

Sistema inglés

Fórmula: $A = \pi \times r \times r$

Radio $= 6$ pulg

$A = 3.14 \times 6 \text{ pulg} \times 6 \text{ pulg}$

¡Piensa!

$3.14 \times 6 \text{ pulg} = 18.84 \text{ pulg}$

en consecuencia,

$A = 18.84 \text{ pulg} \times 6 \text{ pulg} = 113.04 \text{ pulg}^2$

Sistema métrico

Fórmula: $A = \pi \times r \times r$

Radio $= 15$ cm

$A = 3.14 \times 15 \text{ cm} \times 15 \text{ cm}$

¡Piensa!

$3.14 \times 15\text{ cm} = 47.1\text{ cm}$

en consecuencia,

$A = 47.1\text{ cm} \times 15\text{ cm} = 706.5\text{ cm}^2$

3. Calcula el área del cuadrado de 30 cm y resta el área del círculo para determinar la cantidad de material que no se usó.

Sistema inglés

Fórmula: A = base por altura

Base = 12 pulg

Altura = 12 pulg

$A = 12\text{ pulg} \times 12\text{ pulg}$

$= 144\text{ pulg}^2$

Sistema métrico

Fórmula: A = base por altura

Base = 30 cm

Altura = 30 cm

$A = 30\text{ cm} \times 30\text{ cm}$

$= 900\text{ cm}^2$

Sistema inglés

Fórmula: $A = \pi \times r \times r$

Diámetro = 12 pulg

Radio = 1/2 × diámetro

= 1/2 × 12 pulg = 6 pulg

$\pi = 3.14$

$A = 3.14 \times 6\text{ pulg} \times 6\text{ pulg}$

¡Piensa!

3.14×6 pulg $= 18.84$ pulg

en consecuencia,

$A = 18.84$ pulg $\times 6$ pulg $= 113.04$ pulg^2

Área del cuadrado	=	144.00 pulg^2
– Área del círculo	=	– 113.04 pulg^2
Material sobrante	=	30.96 pulg^2

Sistema métrico

Fórmula: $A = \pi \times r \times r$

Diámetro $= 30$ cm

Radio $= 1/2 \times$ diámetro

$= 1/2 \times 30$ cm $= 15$ cm

$\pi = 3.14$

$A = 3.14 \times 15$ cm $\times 15$ cm

¡Piensa!

3.14×15 cm $= 47.1$ cm

en consecuencia,

$A = 47.1$ cm $\times 15$ cm $= 706.5$ cm^2

Área del cuadrado	=	900.0 cm^2
– Área del círculo	=	– 706.5 cm^2
Material sobrante	=	193.5 cm^2

14

Área superficial

Objetivo Determinar el área superficial de objetos de diferentes formas.

Información El **área superficial** es igual al área exterior total de un objeto. El área total de la superficie es la suma de las áreas de las caras superior e inferior y de los cuatro lados. Cada una de las seis partes tiene la forma de un rectángulo, por lo que el área de cada parte se determina por medio de la fórmula **Área = base por altura.**

Problema

Pregunta Determinar el área superficial de esta caja cerrada.

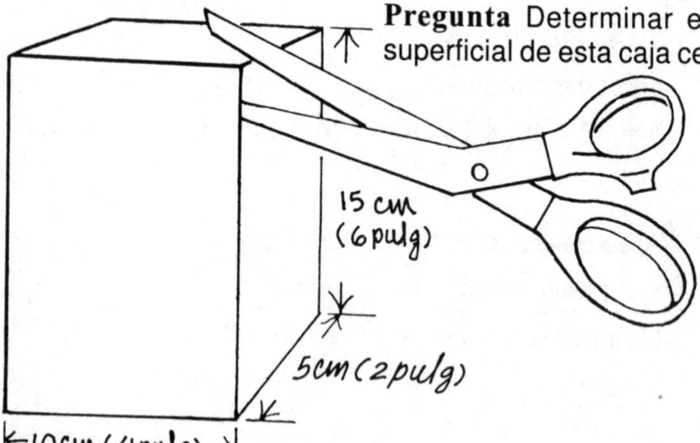

Sistema inglés

Área cara superior	=	4 pulg	×	2 pulg	=	8 $pulg^2$
Área cara inferior	=	4 pulg	×	2 pulg	=	8 $pulg^2$
Área lateral izquierda	=	2 pulg	×	6 pulg	=	12 $pulg^2$
Área frontal	=	4 pulg	×	6 pulg	=	24 $pulg^2$
Área lateral derecha	=	2 pulg	×	6 pulg	=	12 $pulg^2$
Área posterior	=	4 pulg	×	6 pulg	=	24 $pulg^2$
Área superficial					=	88 $pulg^2$

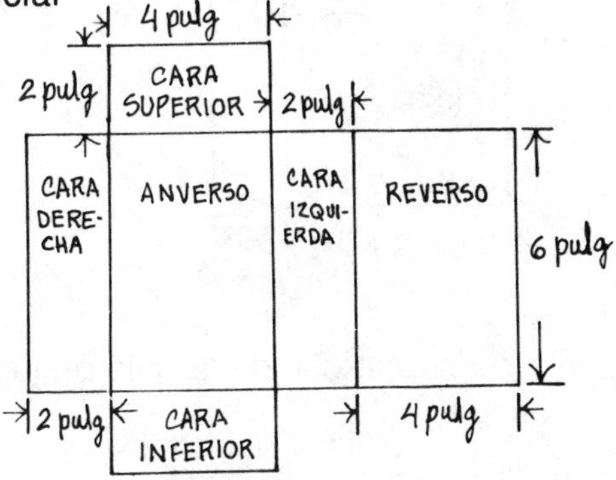

Sistema métrico

Área cara superior	=	10 cm	×	5 cm	=	50 cm^2
Área cara inferior	=	10 cm	×	5 cm	=	50 cm^2
Área lateral izquierda	=	5 cm	×	15 cm	=	75 cm^2
Área frontal	=	15 cm	×	10 cm	=	150 cm^2
Área lateral derecha	=	5 cm	×	15 cm	=	150 cm^2
Área posterior	=	15 cm	×	10 cm	=	150 cm^2
Área superficial	=				=	262 cm^2

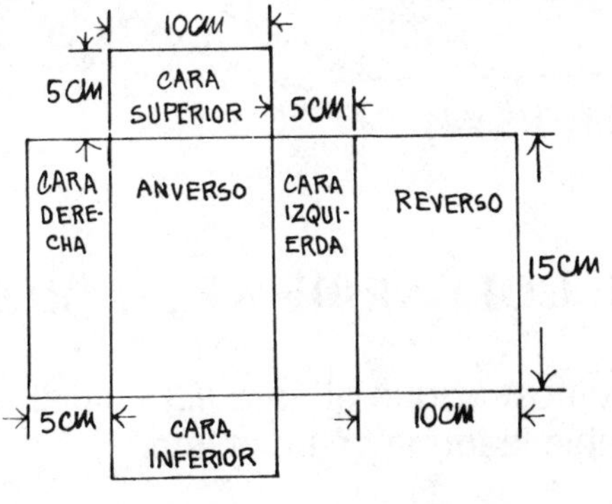

Ejercicios

1. Calcula el área superficial de la caja de cereal.

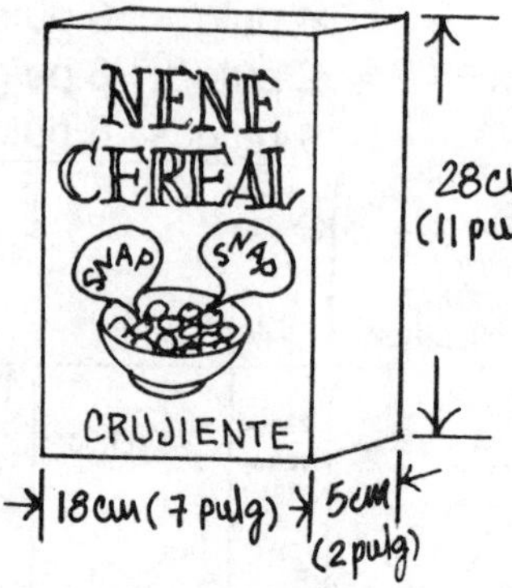

2. Calcula el área superficial de la caja de juguetes.

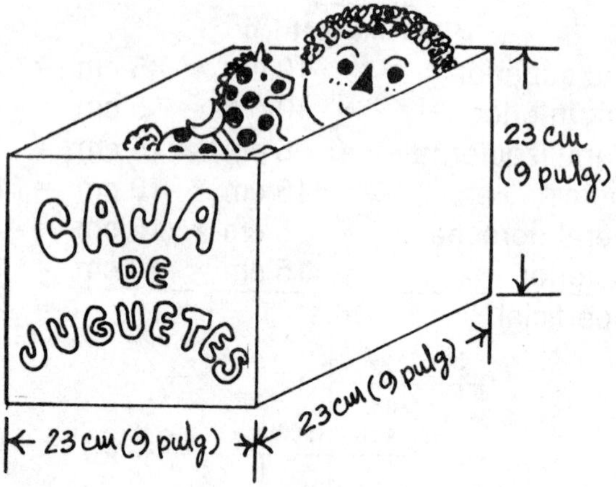

Actividad: COLLAR DE ARCO IRIS

Objetivo Demostrar que el área superficial es la misma aunque cambie la forma de un objeto.

Materiales *hoja rayada de cuaderno*
lápiz
tijeras
crayones
regla

Procedimiento

- Traza un rectángulo de 10 cm (4 pulg) de ancho y 12 renglones de largo sobre el papel rayado.
- Recorta el rectángulo con las tijeras.
- Utiliza los crayones para colorear cada uno de los 12 renglones del rectángulo de diferentes colores.

- Dobla el rectángulo por la mitad a lo largo y verifica que las líneas de las dos mitades coincidan de un lado y del otro.

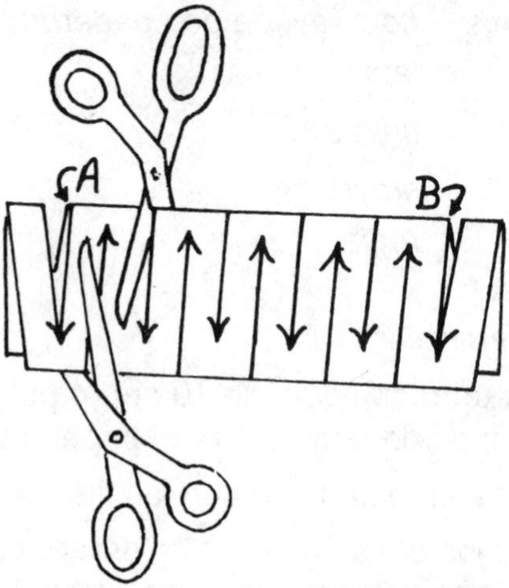

- Corta en los puntos A y B. Deja de cortar aproximadamente a 1 cm (1/4 pulg), antes de la orilla del papel.
- Corta a lo largo de cada una de las líneas que delimitan los renglones en el papel y cuida que cada corte llegue a 1 cm (1/4 pulg), antes de la orilla. Los cortes se alternan entre el borde doblado y la orilla abierta (uno y uno).
- Comienza en el punto A y corta por el borde doblado del papel hasta el punto B. (**Nota:** no cortes el borde doblado de los dos extremos. Observa el dibujo.)

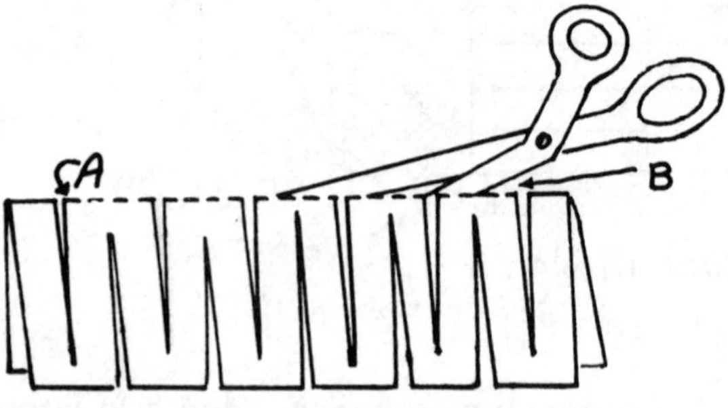

- Estira con cuidado el papel y desliza el collar de arco iris alrededor de tu cuello.

Resultados La forma del papel cambió de un rectángulo a una estructura en zigzag semejante a una cadena, pero el área superficial del papel siguió siendo la misma.

¿Sabías que...

El intestino delgado de un ser humano está perfectamente acomodado dentro de la cavidad abdominal? Si se extiende totalmente, su longitud es de alrededor de 9 m (29 pies).

Solución a los ejercicios

1.

Sistema inglés

Área cara superior	=	7 pulg × 2 pulg	=	14 pulg^2
Área cara inferior	=	7 pulg × 2 pulg	=	14 pulg^2
Área lateral izquierda	=	2 pulg × 11 pulg	=	22 pulg^2
Área frontal	=	7 pulg × 11 pulg	=	77 pulg^2
Área lateral derecha	=	2 pulg × 11 pulg	=	22 pulg^2
Área posterior	=	+ 7 pulg × 11 pulg	=	77 pulg^2
Área superficial	=			226 pulg^2

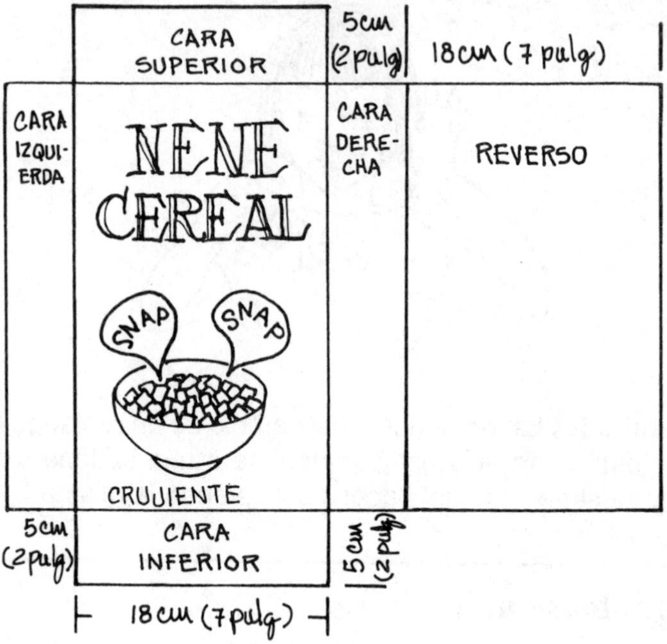

Sistema métrico

Área cara superior	=	18 cm	×	5 cm	=	90 cm²
Área cara inferior	=	18 cm	×	5 cm	=	90 cm²
Área lateral izquierda	=	5 cm	×	28 cm	=	140 cm²
Área frontal	=	18 cm	×	28 cm	=	504 cm²
Área lateral derecha	=	5 cm	×	28 cm	=	140 cm²
Área posterior	= +	18 cm	×	28 cm	=	504 cm²
Área superficial	=					1 468 cm²

2. La caja de juguetes que se muestra en la siguiente página es una caja abierta que sólo tiene cinco caras cuadradas. Como todas ellas son iguales, el área superficial total de la caja se calcula al multiplicar el área de uno de los lados por cinco.

Sistema inglés

$$\text{Área de un lado} = 9 \text{ pulg} \times 9 \text{ pulg} = 81 \text{ pulg}^2$$

$$\text{Área superficial total} = 81 \text{ pulg}^2 \times 5 = 405 \text{ pulg}^2$$

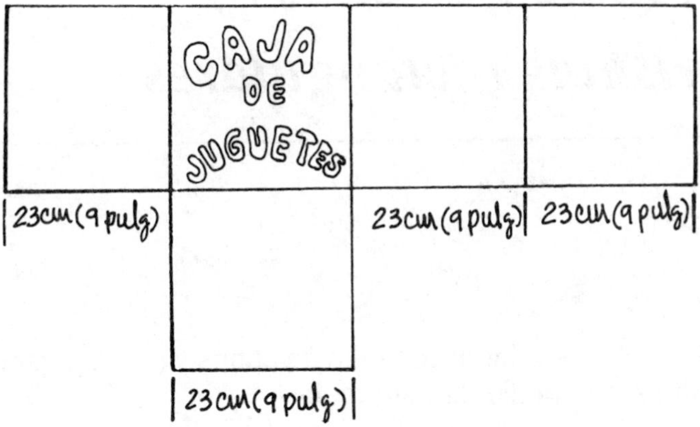

Sistema métrico

$$\text{Área de un lado} = 23 \text{ cm} \times 23 \text{ cm} = 529 \text{ cm}^2$$

$$\text{Área superficial total} = 529 \text{ cm}^2 \times 5 = 2\,645 \text{ cm}^2$$

15

Volumen de cubos y prismas rectangulares

Objetivo Calcular el volumen de cubos y prismas rectangulares por medio de la fórmula:

Volumen = largo × ancho × altura

La fórmula se abrevia así:

$$V = l \times a \times h$$

Información Los cubos y los prismas rectangulares tienen tres medidas diferentes, longitud, ancho y altura. Si se cambia la posición de la caja no se afecta su volumen, pero los valores de la longitud, el ancho y la altura sí cambian. Cuando se multiplican tres unidades (como por ejemplo, cm × cm × cm), se coloca un 3 pequeño en la parte superior derecha de la unidad (cm^3) y la combinación se lee como centímetros al cubo o centímetros cúbicos.

Problemas

Pregunta 1 Calcular el volumen de la caja de la página siguiente.

Sistema inglés

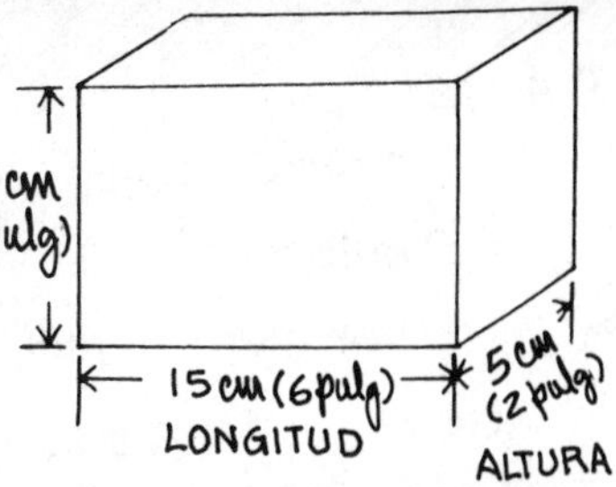

Volumen =

longitud × ancho × altura

= 6 pulg × 2 pulg × 4 pulg

Para multiplicar tres números, trabaja con dos números a la vez. Multiplica los dos primeros y luego multiplica el producto de éstos por el tercero.

¡Piensa!

6 pulg × 2 pulg = 12 $pulg^2$

entonces,

Volumen = 12 $pulg^2$ × 4 pulg = 48 $pulg^3$

Sistema métrico

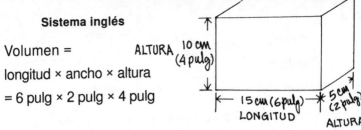

Volumen = longitud × ancho × altura

= 15 cm × 5 cm × 10 cm

¡Piensa!

15 cm × 5 cm = 75 cm^2

entonces,

Volumen = 75 cm^2 × 10 cm = 750 cm^3

Pregunta 2 ¿Cuál es el volumen de la caja de la pregunta 1, si se gira para apoyarla en uno de sus extremos?

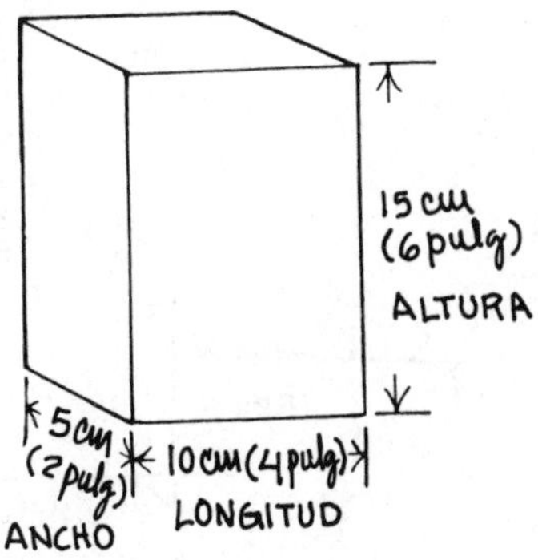

Sistema inglés

Volumen =

longitud × ancho × altura

= 4 pulg × 2 pulg × 6 pulg

¡Piensa!

$4 \text{ pulg} \times 2 \text{ pulg} = 8 \text{ pulg}^2$

entonces,

$\text{Volumen} = 8 \text{ pulg}^2 \times 6 \text{ pulg} = 48 \text{ pulg}^3$

Sistema métrico

$\text{Volumen} = \text{longitud} \times \text{ancho} \times \text{altura}$

$= 10 \text{ cm} \times 5 \text{ cm} \times 15 \text{ cm}$

¡Piensa!

$10 \text{ cm} \times 5 \text{ cm} = 50 \text{ cm}^2$

entonces,

$\text{Volumen} = 50 \text{ cm}^2 \times 15 \text{ cm} = 750 \text{ cm}^3$

Nota: Al cambiar la posición de la caja no cambiaron las tres medidas que se multiplicaron y el orden en que se multipiican los números no cambia el producto.

Ejercicios

1. ¿Cuál es el volumen del cuarto?

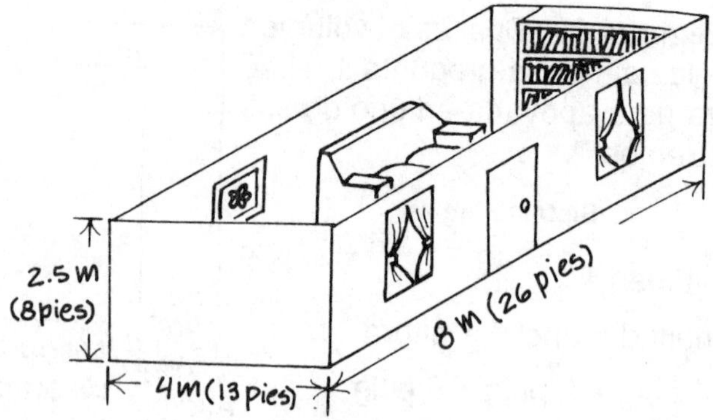

2. Calcula el volumen de la hielera.

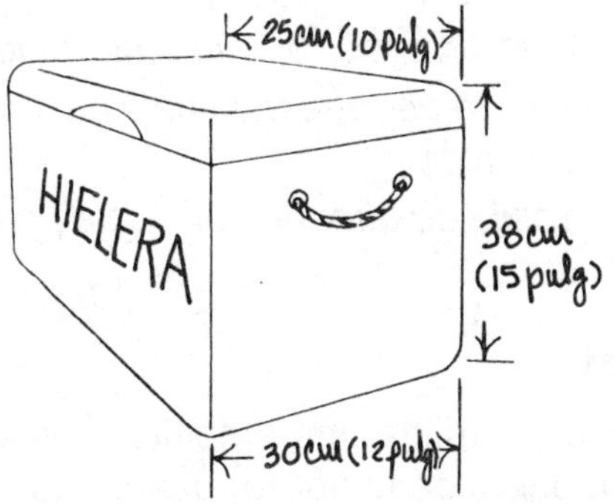

3. Una jarra que contiene 2 000 cm^3 (122 $pulg^3$) de agua se utiliza para llenar una pecera. ¿Se llenaría la pecera con 25 jarras de agua?

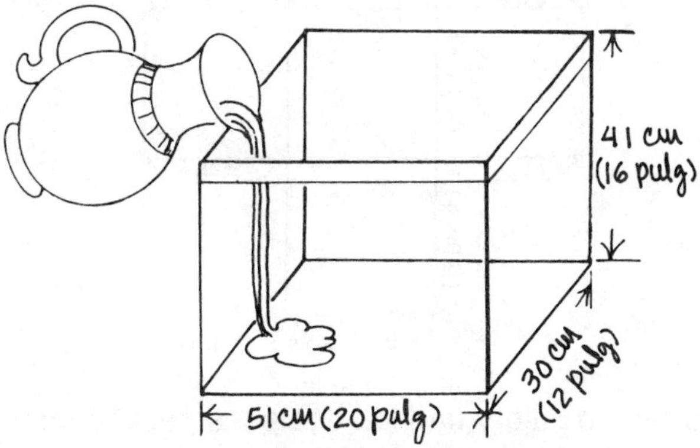

Actividad: CAJA PARA MEDIR

Objetivo Determina cuánta agua puede contener un cubo de 10 cm (4 pulg) por lado.

Materiales *lápiz*

pegamento blanco

regla
tijeras
cartulina (por ejemplo un folder)
botella de refresco vacía de 1 litro (1 cuarto de galón)
vasija de tamaño suficiente para que quepa la caja

Procedimiento

- Dibuja en la cartulina una amplificación a tamaño natural del modelo de la figura, usando tu regla.

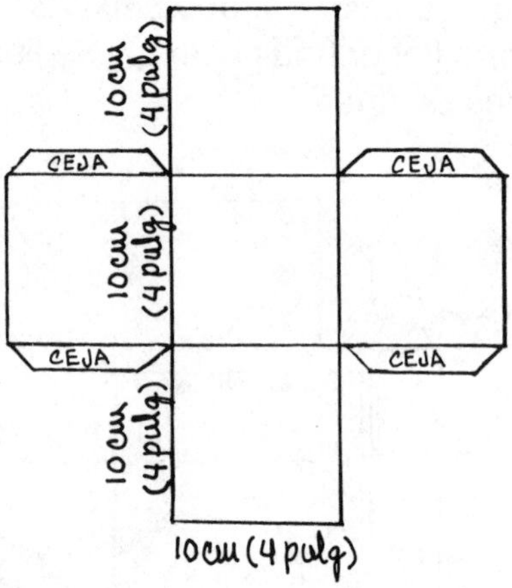

- Recorta el dibujo y haz los dobleces necesarios para formar un cubo de 10 cm (4 pulg) por lado.

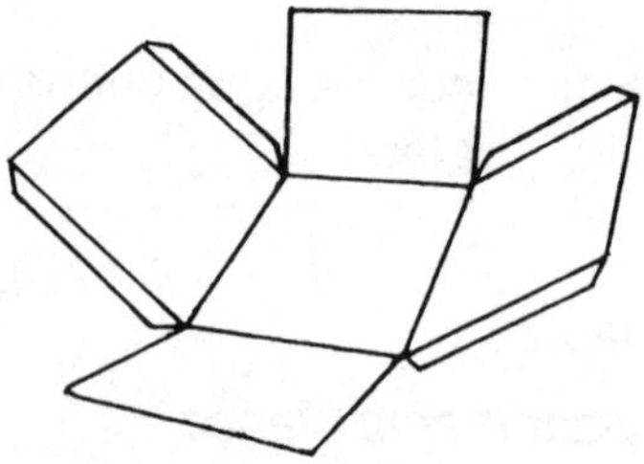

- Usa el pegamento para unir las pestañas.
- Sella las uniones del interior de la caja con una buena capa de pegamento para que la caja quede sin fugas.
- Deja que se seque perfectamente el pegamento.
- Llena de agua la botella de 1 litro (1 cuarto de galón).
- Coloca la caja dentro de la vasija para recoger cualquier derrame de agua.

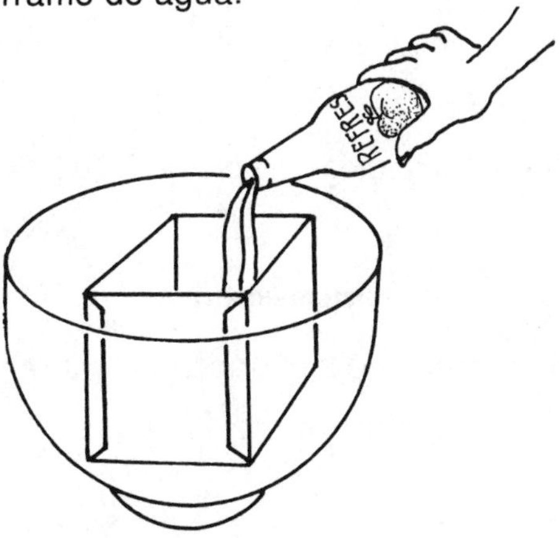

- Vacía lentamente el agua de la botella en la caja hasta que ésta se llene hasta sus bordes.

Resultados La caja tiene capacidad para 1 litro (1 cuarto de galón) de agua. Un cubo de 10 cm (4 pulg) tiene un volumen de 1000 cm^3 (64 $pulg^3$). Este volumen es igual a 1 litro (1 cuarto de galón).

¿Sabías que...

La caja más grande de palomitas de maiz midió 7.7 m (25 pies) × 7.7 m (25 pies) × 1.86 m (6.06 pies)? La caja la llenaron los alumnos de la Escuela Secundaria Jones, de Orlando, Florida del 15 al 17 de diciembre de 1988.

Solución a los ejercicios

1.

Sistema inglés

$$\text{Volumen} = \text{longitud} \times \text{ancho} \times \text{altura}$$
$$= 13 \text{ pies} \times 26 \text{ pies} \times 8 \text{ pies.}$$

¡Piensa!

$13 \text{ pies} \times 26 \text{ pies} = 338 \text{ pies}^2$

por lo tanto,

$\text{Volumen} = 338 \text{ pies}^2 \times 8 \text{ pies} = 2\,704 \text{ pies}^3$

Sistema métrico

$$\text{Volumen} = \text{longitud} \times \text{ancho} \times \text{altura}$$
$$= 4 \text{ m} \times 8 \text{ m} \times 2.5 \text{ m}$$

¡Piensa!

$4 \text{ m} \times 8 \text{ m} = 32 \text{ m}^2$

por lo tanto,

$\text{Volumen} = 32 \text{ m}^2 \times 2.5 \text{ m} = 80 \text{ m}^3$

2.

Sistema inglés

$$\text{Volumen} = \text{longitud} \times \text{ancho} \times \text{altura}$$
$$= 12 \text{ pulg} \times 10 \text{ pulg} \times 15 \text{ pulg}$$

¡Piensa!

$12 \text{ pulg} \times 10 \text{ pulg} = 120 \text{ pulg}^2$

por lo tanto,

$\text{Volumen} = 120 \text{ pulg}^2 \times 15 \text{ pulg} = 1\,800 \text{ pulg}^3$

Sistema métrico

$$\text{Volumen} = \text{longitud} \times \text{ancho} \times \text{altura}$$
$$= 30 \text{ cm} \times 25 \text{ cm} \times 38 \text{ cm}$$

¡Piensa!

$30 \text{ cm} \times 25 \text{ cm} = 750 \text{ cm}^2$

por lo tanto,

$\text{Volumen} = 750 \text{ cm}^2 \times 38 \text{ cm} = 28\,500 \text{ cm}^3$

3.

Sistema inglés

$$1 \text{ jarra} = 122 \text{ pulg}^3$$
$$25 \text{ jarras} = 25 \times 122 \text{ pulg}^3$$
$$= 3\,050 \text{ pulg}^3$$

$3\,050 \text{ pulg}^3$ es menos que las 3840 pulg^3 del volumen de la pecera.

Sistema métrico

$$1 \text{ jarra} = 2\,000 \text{ cm}^3$$
$$25 \text{ jarras} = 25 \times 2\,000 \text{ cm}^3$$
$$= 50\,000 \text{ cm}^3$$

$50\,000 \text{ cm}^3$ es menos que los $62\,730 \text{ cm}^3$ del volumen de la pecera.

Respuesta No; 25 jarras de agua no llenarán la pecera.

16

Volumen por desplazamiento

Objetivo Calcular el volumen de un objeto por desplazamiento de agua.

Información Cuando se coloca un objeto en un recipiente con agua, la cantidad de agua que el objeto empuja para abrirse paso es igual a su **volumen.** El agua es **desplazada** por el objeto; el volumen del objeto se determina por la cantidad de agua que desplaza.

Problema

Pregunta Se coloca una piedra en 50 litros (50 cuartos de galón) de agua. El nivel del agua se eleva a 60 litros (60 cuartos de galón). ¿Cuál es el volumen de la piedra?

Volumen de agua + Volumen de la piedra	=	60 litros (cuartos)
– Volumen del agua	=	– 50 litros (cuartos)
Volumen de la piedra	=	10 litros (cuartos)

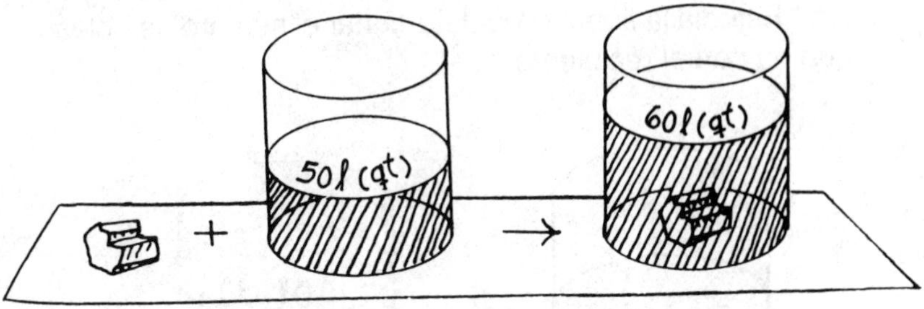

Ejercicios

1. ¿Cuál es el volumen del pez?

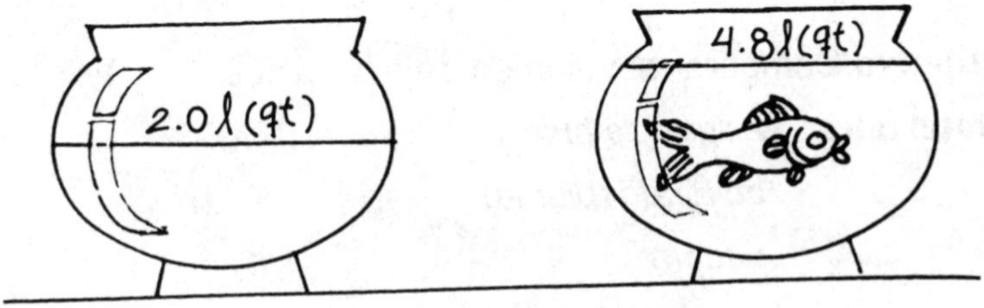

2. ¿Cuánta agua desplaza el buzo de juguete?

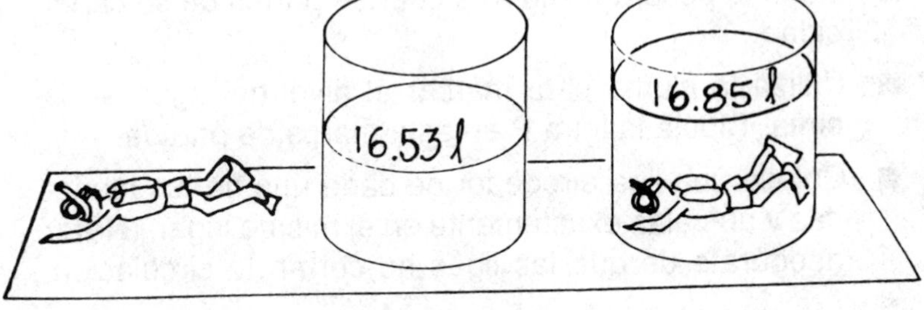

3. Cada bola de metal desplaza 0.1 litro (0.1 cuarto de galón). Estudia la figura para determinar el número de bolas que hay en el recipiente.

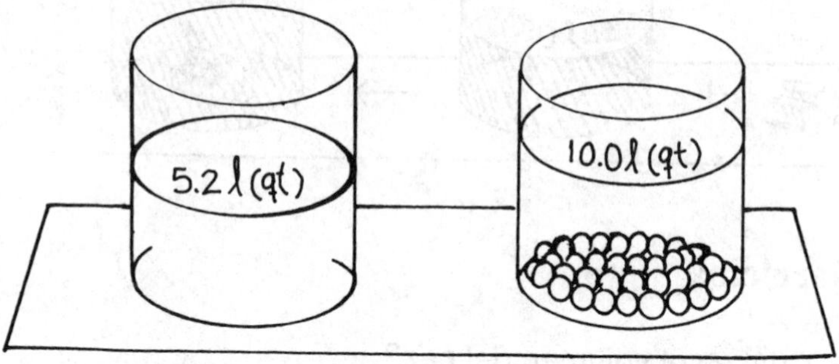

Actividad: ¿DEL MISMO TAMAÑO?

Objetivo Comparar el volumen de tus manos.

Materiales *2 ligas de hule*

bolígrafo (pluma)

pecera

ayudante

cinta adhesiva (masking tape)

Procedimiento

- Coloca un trozo de cinta adhesiva en la pecera, desde el borde hasta la base.
- Llena la pecera hasta tres cuartas partes de su capacidad.
- Utiliza la pluma para marcar el nivel del agua en la cinta. Dibuja la letra P en esta marca de partida.
- Coloca una liga alrededor de cada una de tus muñecas y ubícalas exactamente en el mismo lugar. (**Nota:** asegúrate de que las ligas no cortan tu circulación.

No deben quedar tan apretadas como para que tu piel se abolse)

- Mete tu mano izquierda en el agua hasta que la liga quede al nivel de la superficie.
- Pide a tu ayudante que marque el nivel del agua en la cinta adhesiva, poniéndole la letra I.
- Saca tu mano y agrega agua para llevar de nuevo el nivel de agua a la marca de partida P.
- Mete tu mano derecha en el agua hasta que la liga quede al nivel de la superficie.

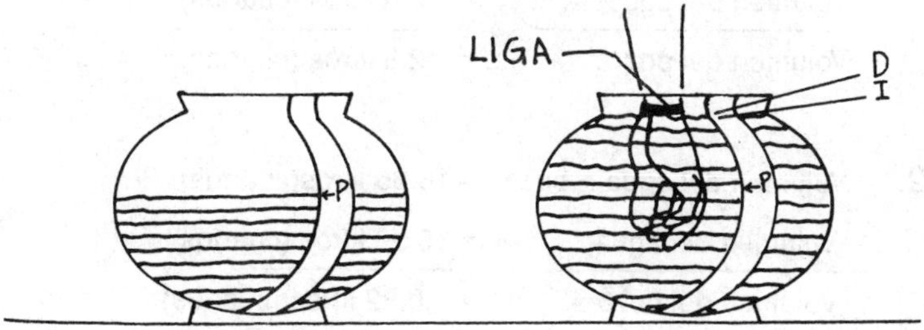

- Pide a tu ayudante que marque el nivel del agua en la cinta adhesiva con la letra D.

Resultados Las líneas D e I están muy próximas una de la otra o posiblemente se encuentren en la misma posición. Cada mano desplaza agua al entrar al líquido. El volumen de cada mano es igual a la cantidad de agua que desplaza. Tus manos no son exactamente iguales, pero el instrumento de medición que hemos usado en este experimento no es suficientemente sensible para indicar diferencias pequeñas, por lo que los volúmenes de tus manos resultarán iguales. Los volúmenes de objetos como las manos, trozos de roca, piezas de oro o cualquier otro objeto de forma irregular pueden determinarse por desplazamiento de agua.

¿Sabías que...

El peso del agua que desplazaron tus manos es aproximadamente igual al peso de tus manos? Esto es porque el peso del cuerpo humano es aproximadamente el mismo que el de un volumen igual de agua.

Solución a los ejercicios

1.

Volumen de agua + pez	=	4.8 litros (cuartos)
– Volumen del agua	=	2.0 litros (cuartos)
Volumen del pez	=	2.8 litros (cuartos)

2.

Volumen del agua + buzo	=	16.85 litros(cuartos)
– Volumen del agua	=	16.53 litros (cuartos)
Volumen del buzo	=	0.32 litros (cuartos)

***3.**

Volumen del agua + bolas	=	10.0 litros (cuartos)
– Volumen del agua	=	– 5.2 litros (cuartos)
Volumen de las bolas	=	4.8 litros (cuartos)

Para determinar el número de bolas, divide el volumen desplazado por todas las bolas entre el volumen de 1 bola.

4.8 litros (cuartos) ÷ 0.1 litros (cuartos) = 48 bolas

17

Capacidad

Objetivo Medir y determinar capacidades equivalentes para líquidos.

Información

Unidad	Abreviatura	Medidas equivalentes
cuarto de galón	qt	1 litro = 1 qt
litro	l	1 litro = 1 000 ml
mililitro	ml	1 litro = 4 tazas
taza	t	1 taza = 250 ml
cucharada	C	1 C = 15 ml
cucharadita	c	1 c = 5 ml
onza	oz	1 oz = 30 ml

Problema

Pregunta Una jarra contiene 2 litros (2 cuartos de galón) de limonada. ¿Cuántas tazas (250 ml) se pueden llenar con la limonada?

Información

2 qt	=	2 litros
2 litros	=	2 000 ml
1 taza	=	250 ml
? tazas	=	2 000 ml

¡Piensa!

250 ml × ? = 2 000 ml
250 ml × 8 = 2 000 ml

Respuesta 8 tazas

Ejercicios

1. Escribe de nuevo la receta de Mary para la leche con chocolate usando mililitros como unidades de medida.

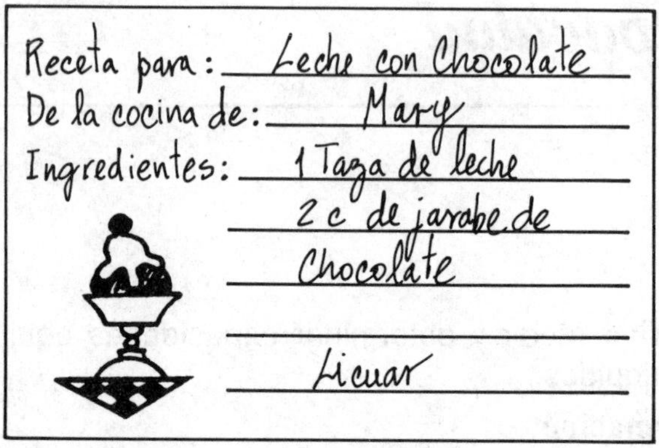

2. Tere hace una jarra de 2 qt de jugo de naranja combinando 500 ml de concentrado de jugo de naranja y agua. ¿Cuánta agua agregó para llenar la jarra?

3. Se le ha pedido a Laura que ponga 5 litros de agua en la pecera utilizando las cubetas que se ilustran que no están graduadas. Describe un método que pueda usar esta niña para medir el líquido.

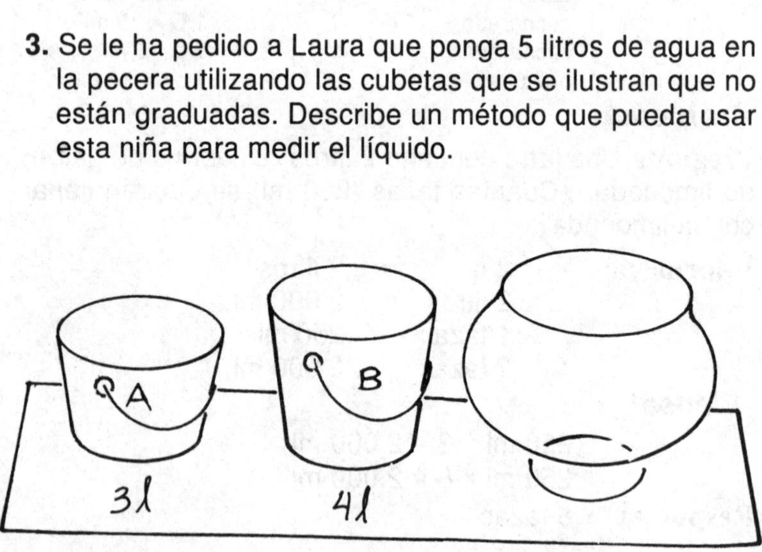

Actividad: CÓMO HACER MASA PLÁSTICA

Objetivo Medir y usar capacidades equivalentes.

SOLUCIONES PARA MASA PLÁSTICA
solución de bórax:
15 ml de bórax + 1 litro de agua
solución de pegamento:
120 ml de pegamento blanco + 120 ml de agua

SOLUCIONES EQUIVALENTES PARA MASA PLÁSTICA
solución de bórax:
1 C de bórax + 1 qt de agua
solución de pegamento:
4 onzas de pegamento líquido blanco + 4 onzas de agua

Materiales *bórax (borato de sodio). Se consigue en el supermercado o en la tlapalería*
botella de 120 ml (4 oz) de pegamento líquido blanco
cuchara para medir
agua destilada
cuchara para medir de 15 ml
tazón de 2 litros (2 qt)
taza para medir de 250 ml
bolígrafo (pluma)
2 frascos limpios de 1 litro (1 qt) con tapa que cierre bien
2 bolsas de plástico con cierre hermético

Procedimiento

- Prepara una solución de bórax llenando con agua uno de los frascos de 1 litro (1qt). Escribe en el frasco la palabra Bórax. Agrega 1 C (15 ml) de bórax al agua. Tapa el frasco y agítalo vigorosamente.
- Prepara una solución de pegamento vaciando una botella de 120 ml de pegamento líquido en el segundo frasco. Escribe en éste la palabra Pegamento. Llena con agua destilada la botella vacía de pegamento y vacíala en el frasco [o mide 4 onzas (120 ml) de pegamento y 4 onzas (120 ml) de agua]. Agita el contenido del frasco con una cuchara limpia hasta que se mezcle perfectamente.
- Pon en el tazón vacío 1 taza (250 ml) de la solución de bórax.
- Vacía lentamente la solución de pegamento en el tazón que contiene el bórax. Revuelve la mezcla mientras vacías.
- Usa la cuchara para sacar la masa plástica del tazón.
- Coloca la masa plástica encima de una bolsa de plástico durante 2 minutos.
- Toma la masa plástica con tus dedos y exprímela.
- Pasa la masa plástica de una mano a otra y exprímela hasta que se seque.

- ¡Apriétala! ¡Jálala! ¡Estírala! ¡Juega con ella!
- Coloca la masa plástica dentro de la bolsa de plástico y sella ésta última para guardarla.
- Lávate las manos cuando hayas terminado.

Resultados Se forma una masa plástica blanca que se estira y se rompe fácilmente cuando se jala con fuerza, pero que fluye cuando se le deja a merced de la gravedad.

Puedes hacer masas plásticas de diferentes colores agregando una gota de colorante para alimentos a la mezcla de pegamento y agua.

Solución a los ejercicios

1. Información: 1 taza = 250 ml

1 c = 5 ml

¡Piensa!

1 taza de leche = 250 ml de leche

2 c = 2 × 5 ml = 10 ml de jarabe de chocolate

2. Información: 1 qt = 1 litro

1 litro = 1 000 ml

¡Piensa!

2 qt = 2 litros

2 litros = 2 000 ml

¡Piensa!

Volumen de la jarra - Volumen del jugo = Volumen de agua
2 000 ml – 500 ml = 1 500 ml

Respuesta 1 500 ml de agua

*3. Información:

1. Llena la cubeta B con 4 litros de agua.
2. Llena la cubeta A con 3 litros de agua de la cubeta B.
3. Pon en la pecera el litro de agua que queda en la cubeta B.
4. Llena de nuevo la cubeta B y vacía los 4 litros de agua a la pecera para completar un total de 5 litros.

18

Masa

Objetivo Familiarizarse con las unidades métricas y escoger medidas de masa métricas equivalentes.

Información El miligramo (mg), el centigramo (cg), el gramo (g) y el kilogramo (kg) son unidades métricas que se usan para medir la masa.

1000 miligramos (mg)	=	1 gramo (g)
100 centigramos (cg)	=	1 gramo (g)
1000 gramos (g)	=	1 kilogramo (kg)

Problema

Pregunta En el dibujo de la página siguiente escoge el objeto que creas que equilibra la masa medida en la balanza. Primero debes hacer comparaciones mentales de la masa de cada uno de los tres objetos. ¿Cuál tiene la masa más grande, la intermedia o la menor? Ahora evalúa la masa que hay en la balanza. ¿Es 7 kg una masa grande, mediana o pequeña? Como el kilogramo es la más grande de las tres unidades de masa que se emplean en este ejercicio, encuentra un objeto que tenga una cantidad grande de masa, por ejemplo, la bola de boliche.

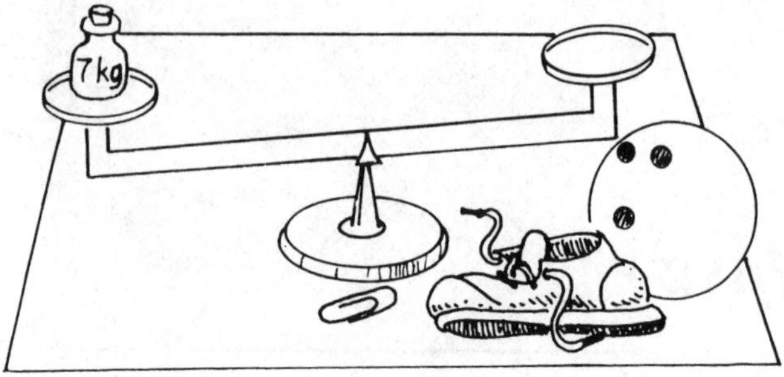

Ejercicios

1. ¿Cuál de los objetos tiene una masa de 5 g?

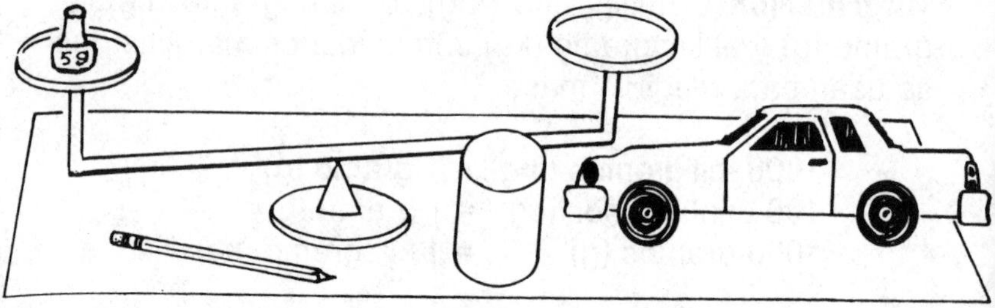

2. ¿Cuál de las bolsas equilibrará al chico en el sube y baja?

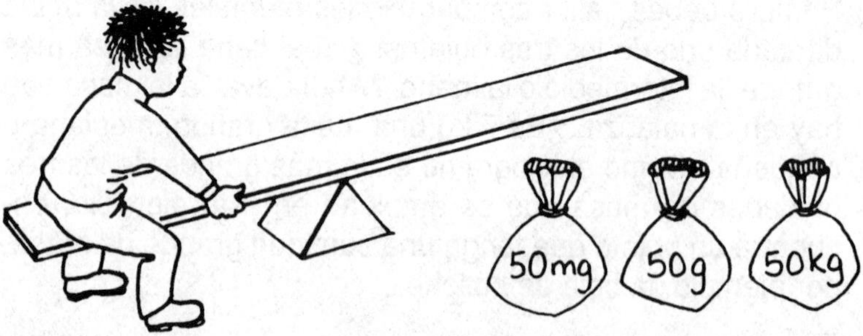

***3.** ¿Cuántas cajas de clips se necesitan para equilibrar los 1500 g de la maceta?

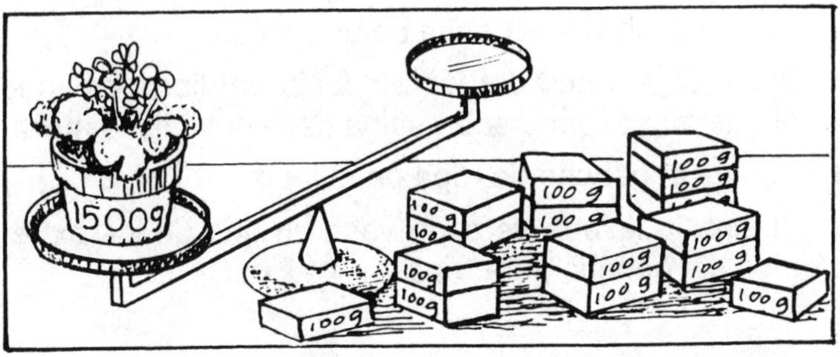

Actividad: BALANCEAR

Objetivo Hacer y usar una balanza para comparar masas métricas.

Materiales *gancho de alambre para ropa*
libro pesado
tijeras
2 vasos de cartón
regla
cuerda (cordón)
clips pequeños
lápiz
moneda

Procedimiento

- Corta dos tramos de cordón de 30 cm (12 pulg) de largo.
- Usa la punta del lápiz para hacer dos agujeros en cada uno de los vasos de papel. Los agujeros deben estar cerca de la parte superior y en lados opuestos.

- En cada vaso amarra un extremo del cordón de 30 cm (12 pulg) en cada agujero para formar una lazada.
- Corta cada extremo del gancho, a la misma distancia, y dobla cada uno en círculo.
- Coloca el libro en la orilla de una mesa.
- Ubica el extremo del lápiz debajo del libro, dejando que la mayor parte sobresalga de la orilla de la mesa.
- Cuelga el gancho de ropa en el lápiz.
- Cuelga la lazada de cada vaso en uno de los extremos del gancho para ropa.

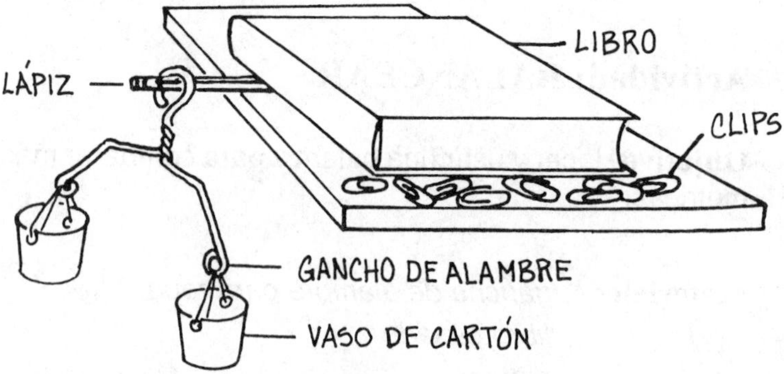

- Dobla los brazos del gancho hacia arriba o hacia abajo para hacer que los vasos de papel cuelguen al mismo nivel.
- Coloca una moneda en el vaso de la izquierda.
- Coloca clips en el vaso de la derecha, uno a la vez, hasta que los vasos estén de nuevo nivelados.

Resultados Los vasos y los cordones deben tener masas iguales y quedar nivelados en los brazos del gancho para ropa. El número de clips que se necesiten para equilibrar la moneda depende de la moneda que uses.

¿Sabías que...

Se cree que el braquiosaurio medía alrededor de 12 m (39 pies) de altura, 23 m (75 pies) de largo y que su masa era de 45 000 kg?

Solución a los ejercicios

1. Ordénalos: Masa más grande = Automóvil

Masa intermedia = Lata de sopa

Masa más pequeña = Lápiz

¡Piensa!

5 gramos es una masa pequeña. Un clip tiene una masa de alrededor de 1 g. ¿Cuál de los objetos tendría aproximadamente la misma masa que cinco clips?

Respuesta El lápiz

2. Ordénalos: Masa más grande = 50 kg

Masa intermedia = 50 g

Masa más pequeña = 50 mg

¡Piensa!

50 mg es la masa de alrededor de 5 pulgas y 50 g es igual a la masa de 50 clips. El chico se equilibraría con la bolsa de 50 kg.

Respuesta La bolsa de 50 kg.

3.** ***¡Piensa!

Una caja de clips = 100 g

Masa de la maceta con flores = 1 500 g

Masa de una caja × Número de cajas
= Masa de la maceta

100 g × ? = 1 500 g

100 g × 15 cajas = 1 500 g

Respuesta 15 cajas

19

Peso

Objetivo Familiarizarse con las siguientes medidas de peso: tonelada corta, libra y onza.

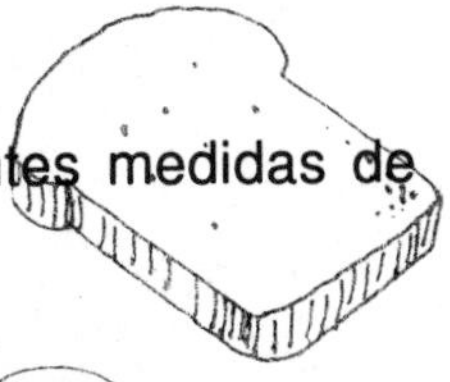

Información 16 onzas (oz) = 1 libra (lb)

2 000 libras (lb) = 1 tonelada corta (ton o T).

Objetos de referencia:

Automóvil pequeño = 1 ton
Una hogaza de pan = 1 lb
Rebanada de queso = 1 oz

Problema

Pregunta Escoge el objeto que tenga un peso más cercano a 16 libras.

Pregunta Ordena mentalmente los objetos de la página anterior como el más grande, el intermedio y el de menor peso. Compara cada objeto con alguna referencia conocida, como los de la sección de Información de este ejercicio. Evalúa ahora el peso de 16 lb, que es el peso de 16 hogazas de pan. La elección más probable sería la bicicleta.

Ejercicios

1. ¿Cuál de los objetos pesa 2 onzas?

2. Escoge el objeto que pese 8 libras.

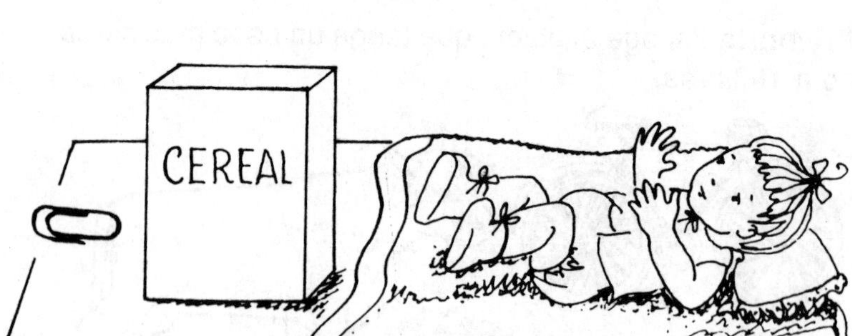

3. ¿Cuál es el peso del elefante?

a. 2 toneladas cortas

b. 2 onzas

c. 2 libras

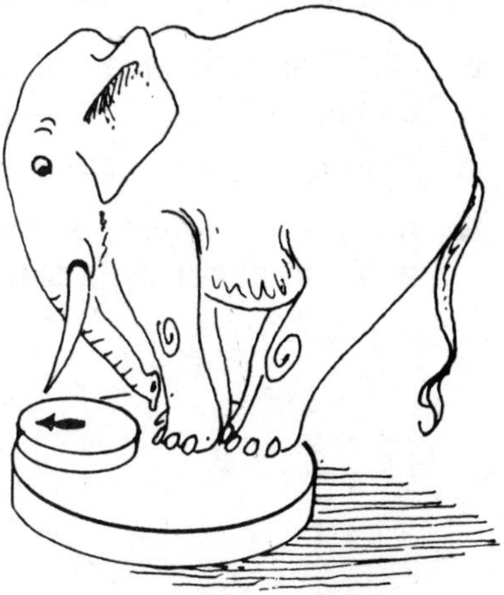

***4.** Se pusieron tres gatitos en un canasto para pesarlos. Si el canasto vacío pesa 4 libras, ¿cuánto pesa cada gatito suponiendo que tienen pesos iguales?

Actividad: FUERZAS

Objetivo Demostrar las fuerzas que afectan al peso.

Materiales *piedra grande (puedes usar un pedazo de ladrillo)*
tijeras
cuerda (cordón)
liga de hule
una cubeta o recipiente

Procedimiento

- Llena el recipiente con agua a las 3/4 partes de su capacidad.
- Amarra el cordón alrededor de la piedra.
- Amarra firmemente un extremo de la liga al cordón que está alrededor de la piedra.

- Sostén el extremo libre de la liga y tira lentamente hacia arriba hasta que la piedra esté suspendida.
- Observa la longitud de la liga.
- Baja lentamente la piedra en el balde de agua hasta que esté suspendida aproximadamente en el centro del agua.

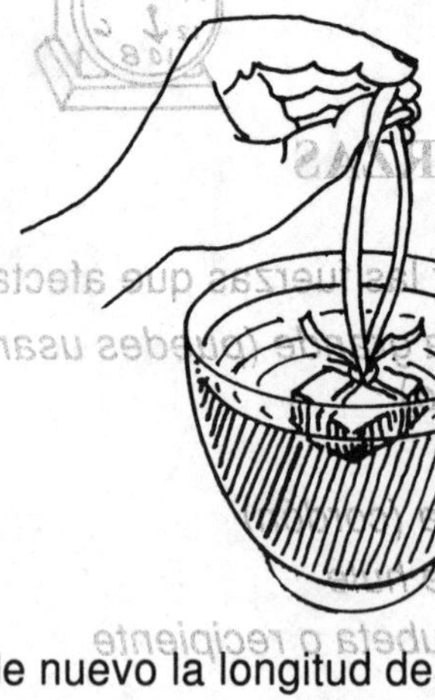

- Observa de nuevo la longitud de la liga.

Resultados La liga es mucho más larga cuando la piedra está suspendida en el aire que cuando está en el agua. Una fuerza llamada **gravedad** jala a la piedra hacia la Tierra; la magnitud de este "jalón" es el peso de la piedra. El empuje del aire hacia arriba modifica un poco el peso, pero el empuje del agua hacia arriba produce un cambio más notable en el peso de la piedra.

¿Sabías que...

El peso es el resultado del "jalón" de la gravedad? Los demás cuerpos celestes tienen gravedad, pero en magnitudes variables. La tabla que sigue indica el peso de una persona en diferentes cuerpos de nuestro sistema solar.

Lugar	*Peso*	*Lugar*	*Peso*
La Tierra	*45.40 kg*	*El Sol*	*12 666.60 kg*
La Luna	*7.718 kg*	*Marte*	*17.252 kg*

Divide tu peso entre 6 para saber cuál sería tu peso si estuvieras en la luna.

Solución a los ejercicios

1. Ordénalos Peso más grande = Hipopótamo
Peso intermedio = Frasco de jalea
Peso más pequeño = Rebanada de pan

¡Piensa!

2 onzas es un peso pequeño. Una rebanada de queso pesa 1 oz. ¿Cuál de los objetos pesa lo mismo que dos rebanadas de queso?

Respuesta La rebanada de pan.

2. Ordénalos Peso más grande = Bebé

Peso intermedio = Cereal

Peso más pequeño = Clip

¡Piensa!

No se usará la tonelada corta (ton) porque ninguno de los tres objetos pesa lo que un automóvil. Esto deja a las unidades libra y onza como opciones para el peso de cada objeto. Como una hogaza de pan pesa 1 lb, ¿cuál de los tres objetos pesa lo que 8 hogazas de pan?

Respuesta El bebé

3. Ordénalos Peso más grande = 2 tons

Peso intermedio = 2 lb

Peso más pequeño = 2 oz

¡Piensa!

Tú ya sabes que 2 oz es el peso de dos rebanadas de queso y que dos hogazas de pan pesan 2 lb.

Respuesta El elefante debe pesar 2 toneladas cortas.

4.

Peso del canasto + peso de los tres gatitos	=	10 lb
–Peso del canasto	=	– 4 lb
Peso de los tres gatitos	=	6 lb

¡Piensa!

Peso de los tres gatitos = 6 lb

Peso de 3 gatitos × ? lb = 6 lb

3 × 2 lb = 6 lb

Respuesta Cada gatito pesa 2 lb.

20

Temperatura

Objetivo Leer los termómetros Fahrenheit y Celsius.

Información Los dos tipos de termómetros que se usan en este ejercicio son el Fahrenheit y el Celsius. Observa que la escala Fahrenheit tiene cinco divisiones entre cada dos números impresos. Cada división es igual a 2 grados. En la escala Celsius hay 10 divisiones entre cada dos números impresos. Cada división es igual a 1 grado. La quinta marca de cada espacio en la escala Celsius es más larga para facilitar la distinción del punto medio.

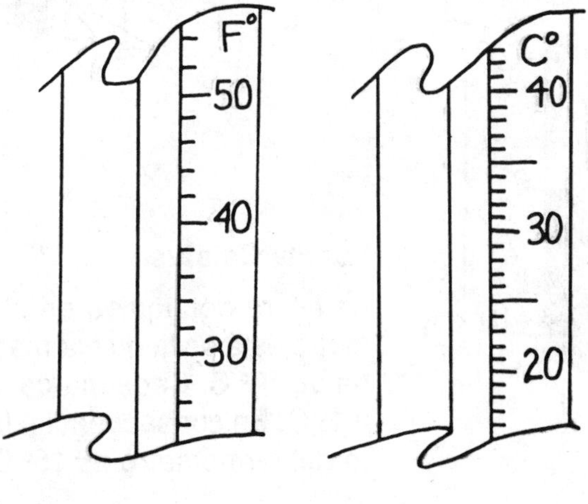

El símbolo para la palabra grado es un pequeño círculo elevado. °F se lee grados Fahrenheit y °C se lee grados Celsius.

Ejemplo 30° C se lee 30 grados Celsius

40° F se lee 40 grados Fahrenheit

Problema

Pregunta Tomar las lecturas de temperatura de los dos termómetros.

¡Piensa!

Escala Fahrenheit

La altura del líquido en el termómetro está en la tercera marca arriba de los 50° F. Cada marca es igual a 2° F. En consecuencia, la lectura del termómetro es 56° F.

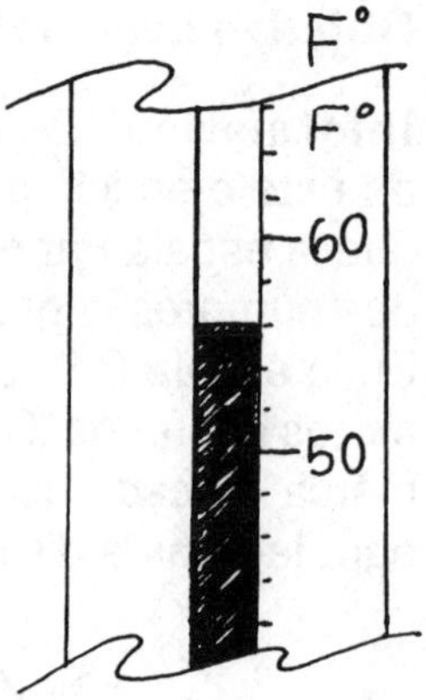

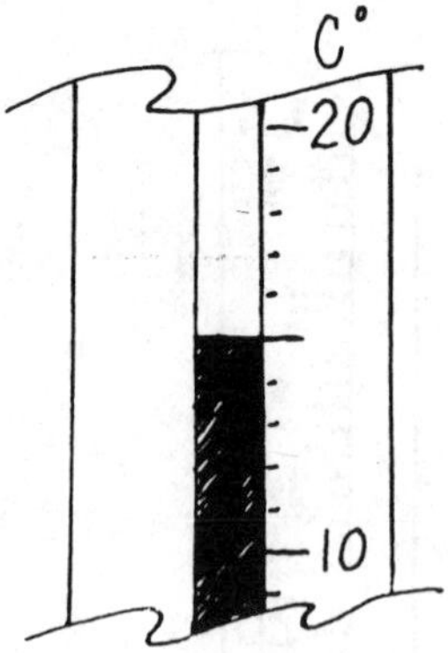

Escala Celsius

La altura del líquido en el termómetro está en la quinta marca arriba de 10° C. Cada marca es igual a 1° C. En consecuencia, la lectura del termómetro es 15° C.

Ejercicios

1. Lee el termómetro.

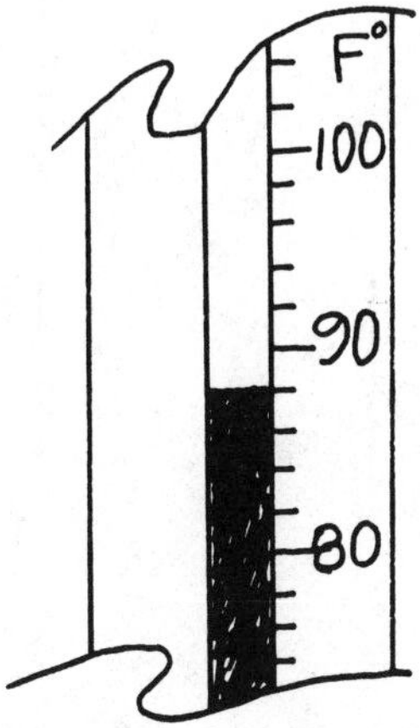

2. Lee el termómetro.

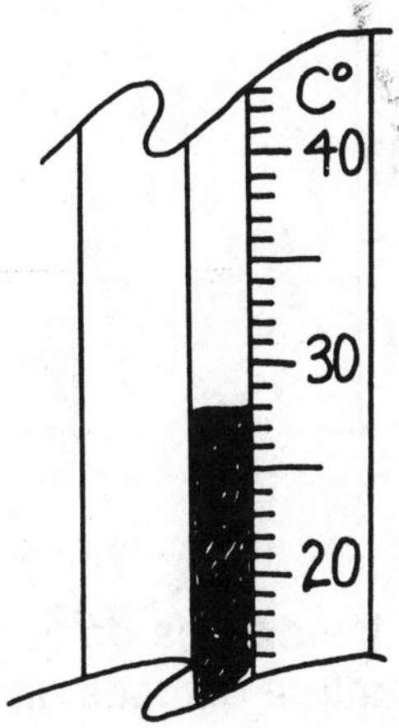

3. ¿En cuál de los termómetros se lee 10.5° C?

A.

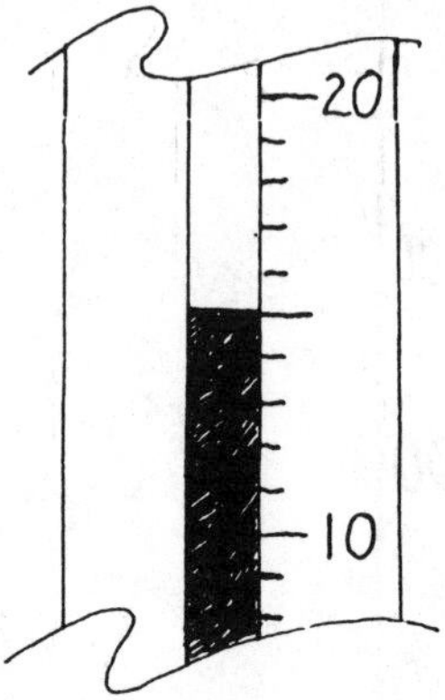

B.

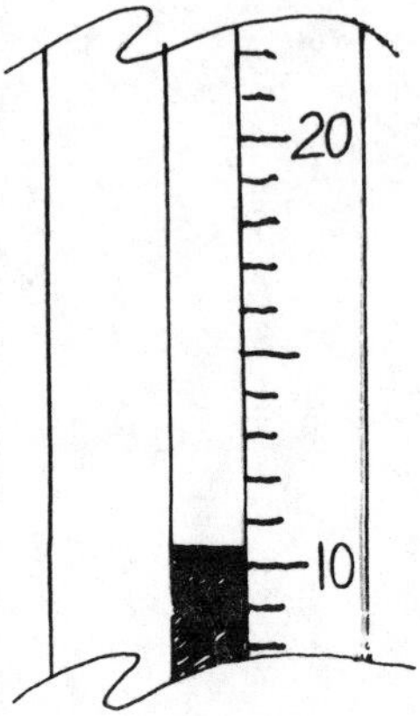

4. ¿En cuál de los termómetros se lee 69° F?

A.

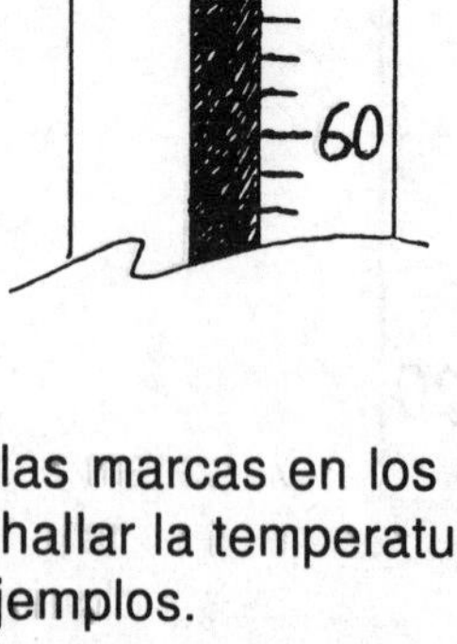

B.

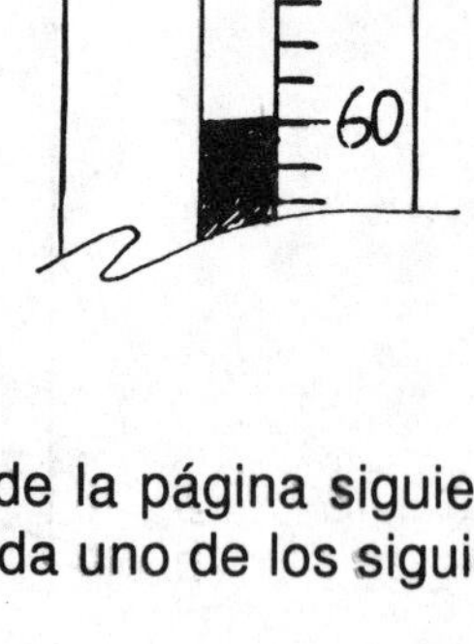

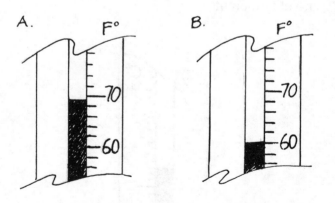

5. Usa las marcas en los dibujos de la página siguiente para hallar la temperatura de cada uno de los siguientes ejemplos.

a. Temperatura del cuerpo humano en grados Celsius.

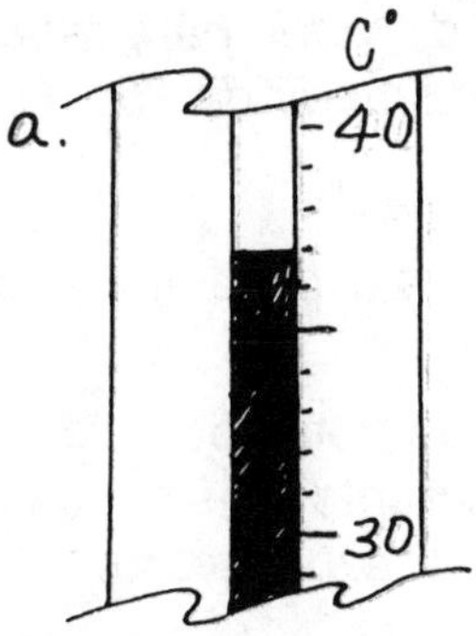

b. Temperatura del cuerpo humano en grados Fahrenheit.

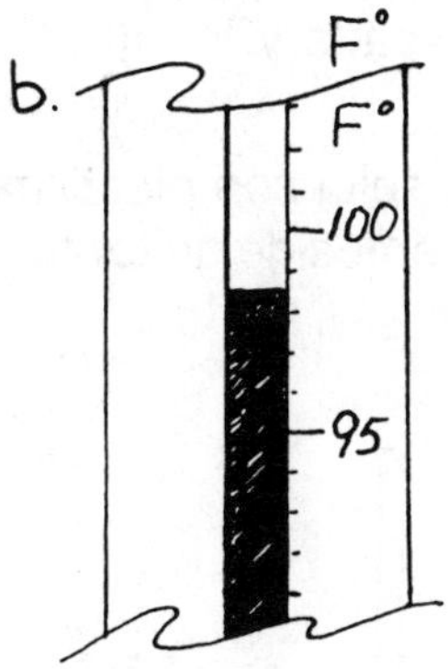

Actividad: TERMÓMETRO DE POPOTE

Objetivo Demostrar cómo funciona un termómetro.

Materiales *colorante azul para alimentos*
popote pequeño blanco
plastilina, trozo del tamaño de una nuez

2 tazones suficientemente grandes para contener la botella
2 cubos de hielo
botella de vidrio para refresco
taza para medir de 250 ml

Procedimiento

- Pon agua en la taza para medir hasta la mitad (125 ml).
- Agrega al agua unas gotas de colorante azul y agítala. Agrega más colorante si es necesario, hasta que el agua quede de color azul oscuro.
- Coloca un extremo del popote en el agua coloreada.
- Con el popote en el agua, coloca tu dedo índice sobre el extremo abierto.
- Mantén el popote tapado con tu dedo mientras lo sacas del agua coloreada y lo introduces en la botella vacía de refresco.
- Con la otra mano, sella con plastilina alrededor de la boca de la botella antes de quitar tu dedo del extremo del popote.

- El tapón de agua coloreada se va a mover hacia arriba del popote cuando destapes el extremo. Si se derrama, inténtalo otra vez. Si se sale por la parte inferior, utiliza un popote de menor diámetro. Es necesario que el agua permanezca en el popote.
- Llena uno de los tazones hasta la mitad con agua tibia.
- Llena el segundo tazón hasta la mitad con agua fría. Agrega los dos cubos de hielo.
- Coloca la botella de refresco en el agua tibia.
- Saca la botella del agua cuando comience a moverse el agua coloreada del popote.
- Coloca la botella en el agua helada.

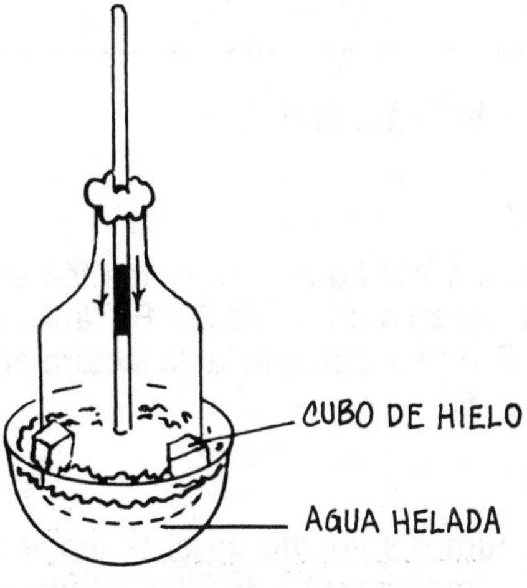

- Una vez más, saca la botella cuando comience a moverse en el popote el agua coloreada.

Resultados El agua coloreada se mueve hacia arriba cuando se pone la botella en agua tibia y hacia abajo cuando se pone en agua fría. El aire que hay en el interior de la botella se dilata al calentarse. Este gas dilatado (aire) empuja al agua coloreada hacia arriba del popote. Al enfriarse el aire que hay dentro de la botella, se contrae y el aire que se encuentra arriba del popote empuja al agua coloreada hacia abajo. Dentro de los termómetros, los líquidos están en un tubo cerrado. Cuando se calienta el líquido, se dilata y se mueve hacia arriba. Al enfriarse el líquido, se contrae y se mueve hacia abajo del tubo.

¿Sabías que...

Una persona promedio tiene una temperatura corporal de 37° C (98.6° F)? Un ser humano no puede vivir con temperatura corporal superior a 42.8° C (109° F) ni inferior a 35° C (95° F). Se ha sabido de corredores de maratón que alcanzan temperaturas corporales de 41° C (105.8° F).

Solución a los ejercicios

1. ***¡Piensa!***

La altura del líquido en el termómetro está en la cuarta marca arriba de 80° F. Cada marca es igual a 2° F. En consecuencia, la lectura del termómetro es 88° F.

2. ***¡Piensa!***

La altura del líquido en el termómetro está en la octava marca arriba de 20° C. Cada marca es igual a 1° C. En consecuencia, la lectura del termómetro es 28° C.

3. El termómetro B indica 10.5° C.

¡Piensa!

La altura del líquido en el termómetro A está en la quinta marca arriba de 10° C. Como cada marca es igual a 1° C, la lectura de temperatura es 15° C.

La altura del líquido en el termómetro B está a la mitad entre 10° C y 11° C y puede leerse como $10^1/_2$ ó 10.5° C.

4. El termómetro A indica 69° F.

¡Piensa!

La altura del líquido en el termómetro A está a la mitad entre 68° F y 70° F y se lee como 69° F.

La altura del líquido en el termómetro B está a la mitad de la distancia de la primera marca. Como cada marca es igual a 2 grados, la temperatura sería un poco menos de 61° F, o sea, de alrededor de 60.9° F.

5. **a.** Temperatura del cuerpo humano = 37° C.

b. Temperatura del cuerpo humano = 98.6° F.

III

Gráficas

21

Gráfica de barras

Objetivo Interpretar la información de una gráfica de barras.

Información Las gráficas de barras facilitan la comparación de información. Cada casilla de la gráfica tiene el mismo valor y el valor de partida es siempre 0, no 1.

Problema

Pregunta Utiliza la gráfica de barras horizontales para contestar las preguntas 1 a 5.

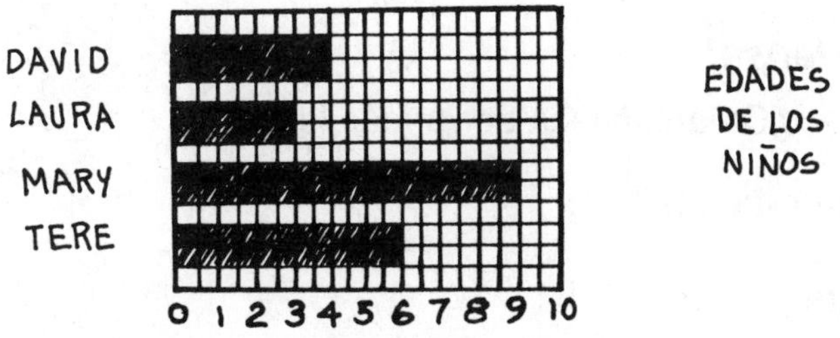

1. ¿Quién es mayor, David o Tere?

2. ¿Cuáles niños son mayores que David?

3. Nombra los niños que son menores que Tere.

4. ¿Quién es el mayor?

5. Haz una lista con las edades de los niños.

La numeración de la escala horizontal indica que una longitud de 2 casillas es igual a 1 año. Una longitud de una casilla sería entonces igual a 1/2 año.

1. ***¡Piensa!***

¿Quién tiene la barra más larga, David o Tere?

Respuesta Tere

2. ***¡Piensa!***

¿Quiénes tienen barras más largas que la de David?

Respuesta Mary y Tere

3. ***¡Piensa!***

¿Quiénes tienen barras más cortas que la de Tere?

Respuesta David y Laura

4. ***¡Piensa!***

¿Quién tiene la barra más larga?

Respuesta Mary

5. ***¡Piensa!***

Comienza en el extremo derecho de la barra de cada niño y sigue hacia abajo la línea que toca hasta llegar a la base de la gráfica y hallar el número de la escala.

Respuesta	David	4 años
	Laura	3 años
	Mary	9 años
	Tere	6 años

Ejercicios

1. Utiliza la siguiente gráfica de barras para contestar las preguntas de la **a** a la **f**. Determina todas las velocidades en millas por hora y en kilómetros por hora.
   a. ¿Qué velocidad representa cada cuadrito?
   b. ¿Cuál es el animal más veloz?
   c. ¿Cuál es la diferencia de velocidad entre el león y el gato?
   d. ¿Cuántos animales son más lentos que el hombre?

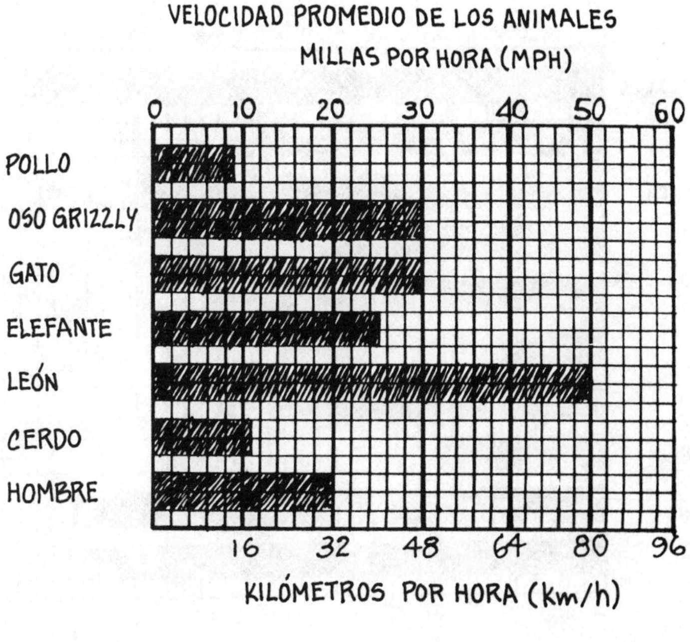

e. ¿Cuáles animales tienen la misma velocidad?

f. ¿Cuántos animales son más veloces que el cerdo?

2. Utiliza la siguiente gráfica de barras para contestar las preguntas de la **a** a la **f**.

a. ¿Cuántos años representa cada cuadro?

b. ¿Cuál animal tiene la vida más corta?

c. ¿Cuántos animales viven más que la cebra?

d. ¿Cuántos años más vive el oso que el cerdo?

e. ¿Cuál animal vive el doble que el conejo?

f. ¿Cuántos animales viven el mismo tiempo que un perro?

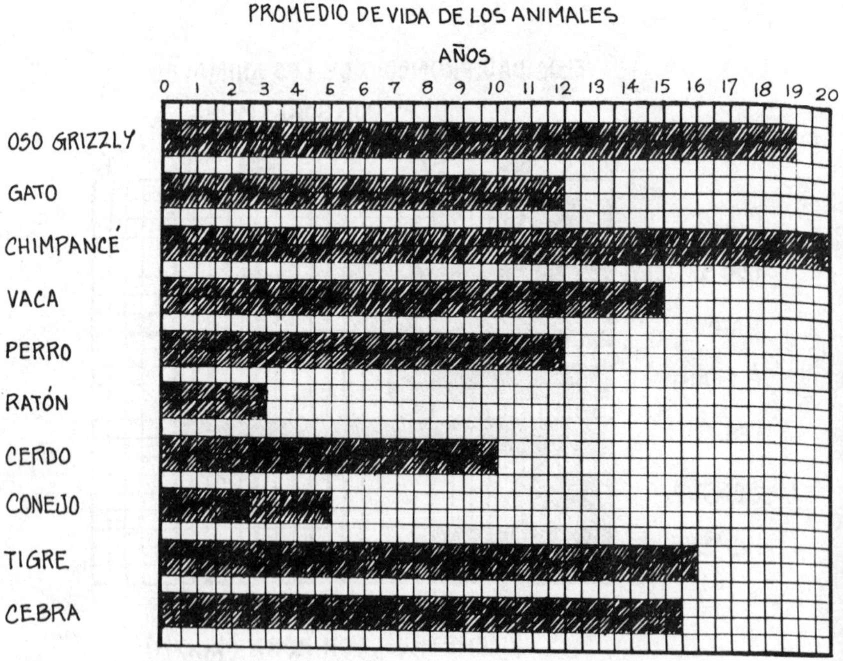

Actividad: CRECIMIENTO DE UN FRIJOL

Objetivo hacer la gráfica del crecimiento de un frijol.

Materiales
4 frijoles pintos
toallas de papel
cinta adhesiva (masking tape)
vaso de vidrio
regla
libreta de notas
lápiz

Procedimiento

- Dobla una toalla de papel y forra con ella el interior del vaso.
- Haz unas bolas de toallas de papel y mételas en el vaso para mantener el forro de papel apretado contra el vaso.
- Coloca los frijoles entre el forro de papel y el vaso. Los frijoles deben espaciarse de manera uniforme y quedar a más o menos 2.5 cm (1 pulgada) de la parte superior del vaso.

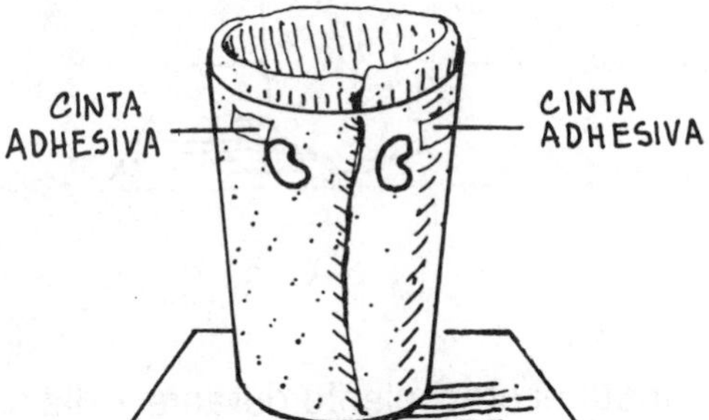

- Humedece con agua las toallas de papel del interior del vaso. El papel no debe escurrir sino sólo quedar húmedo.
- Conserva húmedo el papel y observa cada día hasta que los frijoles comiencen a crecer.
- Cuando aparezca la primera señal de una hoja, coloca un trocito de cinta adhesiva por afuera del vaso para marcar la posición de la parte superior de la misma. La cinta marca el comienzo de las medidas de crecimiento.
- Mide con la regla el crecimiento, desde la punta de la hoja hasta la parte superior de la cinta, después de 24 horas (1 día). Anota la medida como el crecimiento del día 1.

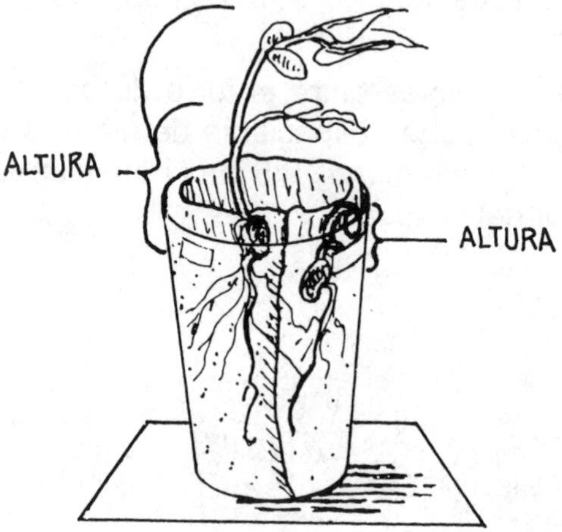

- Mide y anota el crecimiento durante 7 días.
- Usa las medidas para construir una gráfica de barras.

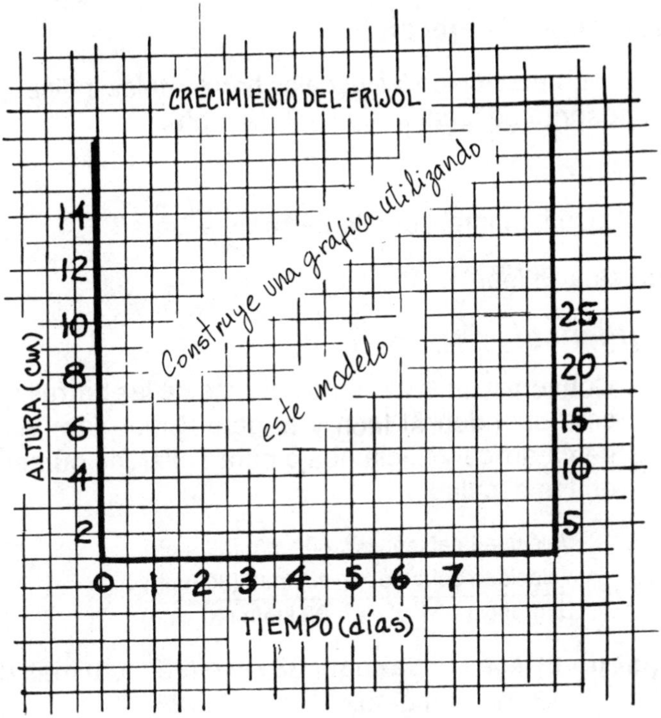

Resultados Pasan aproximadamente 7 días antes de que el frijol comience a crecer. Dentro de los siguientes 7 días, el crecimiento de la planta es muy rápido. Puede crecer varios centímetros en una sola noche. La gráfica de barras es una manera fácil de determinar gráficamente la rapidez con que crece el frijol cada día.

¿Sabías que...

La altura máxima registrada de una planta de girasoles es 7.45 m (24 pies $2^1/_2$ pulg).

Solución a los ejercicios

1. a. La numeración de las escalas horizontales indica que cada cuadrito es igual a 3.2 km/h (2 mph).

b. ***¡Piensa!***

¿Cuál animal tiene la barra más larga?

Respuesta El león.

c. ***¡Piensa!***

Comienza en el extremo derecho de las barras que corresponden al león y al gato. Sigue las líneas hacia arriba y hacia abajo para hallar los números en las escalas.

	Velocidad del león	=	80 km/h (50 mph)
–	Velocidad del gato	=	– 48 km/h (30 mph)
	Diferencia	=	32 km/h (20 mph)

Respuesta El león puede correr 32 km/h (20 mph) más veloz que un gato.

d. ***¡Piensa!***

¿Cuántas barras son más cortas que la del hombre?

Respuesta Dos, la del pollo y la del cerdo.

e. ***¡Piensa!***

¿Cuántas barras son exactamente de la misma longitud?

Respuesta 2, la del oso y la del gato.

f. ***¡Piensa!***

¿Cuántas barras son más largas que la del cerdo?

Respuesta 5; la del oso, el gato, el elefante, el león y el hombre.

2. a. Cada cuadro representa medio año.

b. ***¡Piensa!***

¿Cuál de las barras es la más cercana a la izquierda?

Respuesta La del ratón.

c. ***¡Piensa!***

¿Cuántas barras llegan más a la derecha que la barra que representa a las cebras?

Respuesta 3; la del oso, el chimpancé y el tigre.

d. Determina la vida probable del oso y el cerdo siguiendo cada barra hacia la derecha y luego hacia abajo hasta la escala. Toma la diferencia entre los números.

	Vida probable del oso =	19 años
–	Vida probable del cerdo =	– 10 años
	Diferencia =	9 años

Respuesta El oso vive 9 años más que el cerdo.

e. Determina la vida probable del conejo siguiendo la barra de este animal hacia la derecha y luego hacia abajo hasta la escala.

Vida probable del conejo = 5 años

Multiplica la vida probable del conejo por 2.

2×5 años = 10 años

Encuentra la marca de 10 años en la escala y continúa hacia arriba hasta encontrar una barra que termine en la línea de 10 años.

Respuesta El cerdo.

f. ***¡Piensa!***

¿Cuántas barras se extienden hacia la derecha exactamente a la misma distancia que la del perro?

Respuesta 1, la barra del gato.

22

Gráfica lineal

Objetivo Interpretar la información de una gráfica lineal.

Información La información se registra en forma de puntos en la gráfica. Se forma una línea al unir los puntos en orden, de izquierda a derecha. No siempre es necesario partir de cero en una gráfica lineal.

Problema

Pregunta Durante una semana, Tere tuvo diariamente una prueba de matemáticas. Las puntuaciones de estas pruebas aparecen en la gráfica de la página siguiente. Utiliza esta información para contestar las preguntas de la **1** a la **3**.

1. ¿En qué día supo Tere la mayoría de las respuestas?

2. ¿En qué día supo menos respuestas?

3. ¿En qué día vio Tere la televisión en la noche en lugar de estudiar para su prueba de matemáticas?

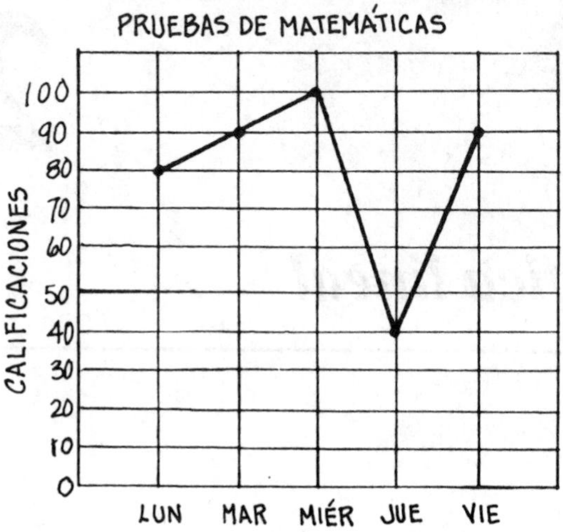

1. ***¡Piensa!***

   ¿Cuál día tiene la puntuación más alta de la línea?

Respuesta El miércoles

2. ***¡Piensa!***

   ¿Cuál día tiene la puntuación más baja de la línea?

Respuesta El jueves

3. ***¡Piensa!***

   El jueves fue el día en que tuvo la puntuación más baja. Se puede suponer entonces que vio la televisión el miércoles en la noche en vez de prepararse para su prueba de matemáticas.

Respuesta El miércoles en la noche.

Ejercicios

1. Roberto compra dulces con el dinero que le dio su papá. El número de barras de dulce que se comió durante 1

semana aparece en la gráfica lineal. Usa la gráfica para contestar las preguntas de la **a** a la **d**.

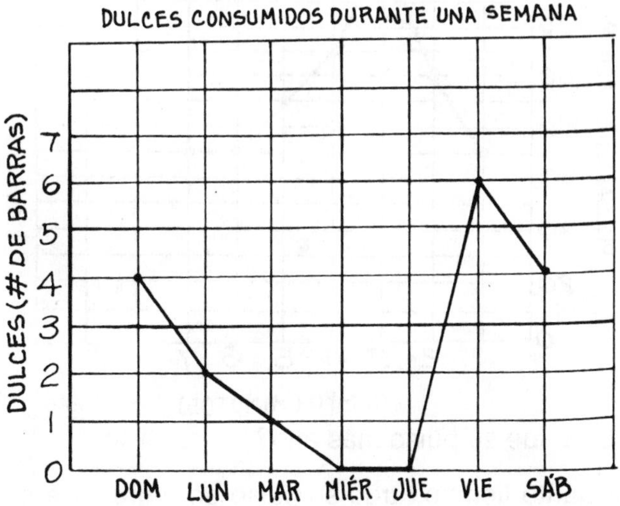

a. ¿En qué día comió más barras de dulce?

b. ¿En cuáles días comió más de tres barras de dulce?

c. ¿Cuántos días no comió dulce Roberto?

d. ¿Cuántas barras de dulce se comió Roberto durante la semana?

2. Ramón contó sus pulsaciones por minuto antes y después de hacer ejercicio para determinar su tiempo de recuperación, es decir, el tiempo que tarda su pulso en regresar a su nivel normal. El número de pulsaciones por minuto aparecen en la gráfica lineal de la página siguiente. Utiliza esta información para contestar las preguntas de la **a** a la **d**.

a. ¿Cuál es el pulso normal de Ramón?

b. ¿Por cuánto tiempo hizo ejercicio?

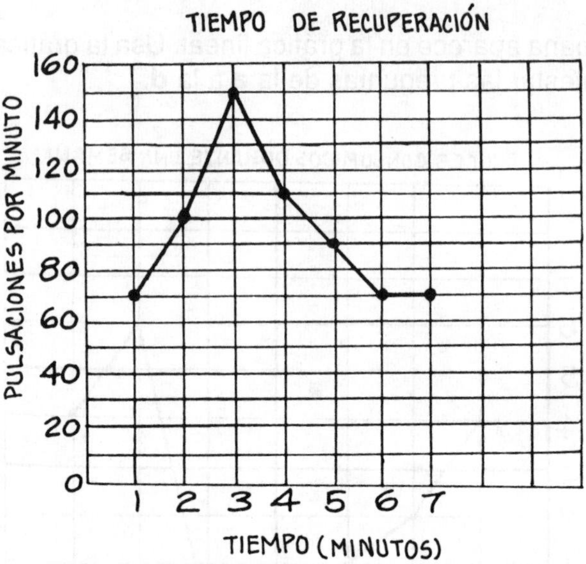

c. ¿Cuál fue su pulso más alto?

d. ¿Cuánto tiempo tardó su pulso en regresar a su ritmo normal?

Actividad: ¿QUÉ TAN RÁPIDO?

Objetivo Usar una gráfica lineal de distancia contra tiempo para comparar la velocidad de un objeto en movimiento en diferentes momentos.

Materiales *regla (con ranura en la parte de atrás)*
6 hojas de cuaderno
libro
canica
cronómetro o reloj con segundero
lápiz
ayudante

Procedimiento

- Coloca 6 hojas del cuaderno sobre el piso para formar una hilera con ellas.
- Coloca el libro sobre la hilera de hojas.

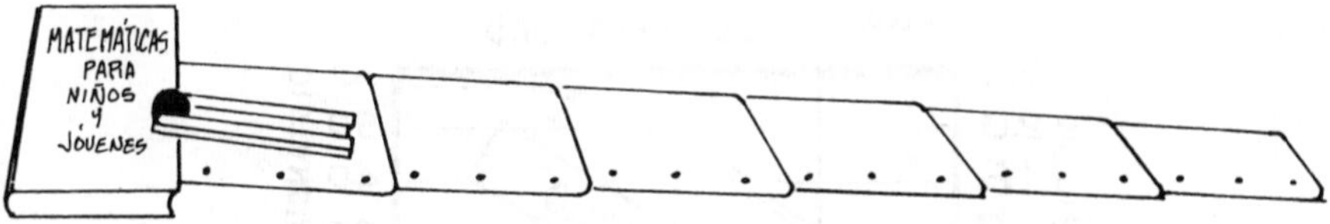

- Apoya un extremo de la regla en la orilla del libro y el otro extremo sobre las hojas.
- Sostén la canica en la parte superior de la regla.
- Suelta la canica y déjala rodar por la ranura central de la regla.
- Tu ayudante debe estar listo con un lápiz para marcar la posición de la canica al rodar sobre el papel.
- Comienza a medir el tiempo cuando la canica toque el papel.
- Cuenta en voz alta el paso de cada segundo hasta que hayan pasado 4 de ellos.
- Por cada cada segundo, tu ayudante debe marcar en el papel la posición de la canica.
- Mide y anota las distancias en pulgadas y en centímetros desde el extremo de la regla a cada marca.

TABLA DE DATOS 1

TIEMPO (SEGUNDOS)	DISTANCIA (CENTÍMETROS)	VELOCIDAD (SEGUNDOS)

TABLA DE DATOS 2

TIEMPO (SEGUNDOS)	DISTANCIA (PULGADAS)	VELOCIDAD (SEGUNDOS)

■ Traza los datos en una gráfica lineal. Utiliza una línea continua para unir los puntos de las medidas en pulgadas y una línea punteada para los puntos de las medidas en centímetros.

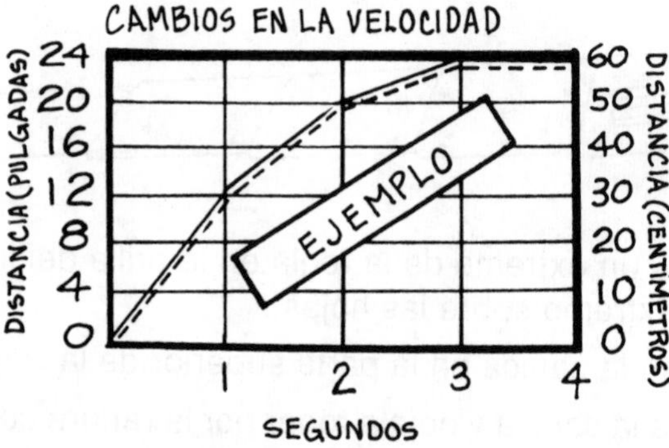

■ Observa la inclinación de la línea entre los puntos.

Resultados La canica recorre una distancia mayor durante el primer segundo porque va a una velocidad mayor. La velocidad disminuye hasta que finalmente la canica se detiene. Esta disminución de la velocidad la indica la disminución de la distancia recorrida. La inclinación de la línea entre puntos indica la velocidad. Mientras más vertical es la línea, mayor es la velocidad. Una línea horizontal indica que no hay cambio en la distancia y por tanto que la velocidad es cero.

¿Sabías que...

La canica va más lenta y se detiene debido a la fricción? La fricción es una resistencia al movimiento. Si no hubiese fricción, la canica se habría movido hasta chocar con otro objeto. Esto es lo que ocurre a los cuerpos que se mueven en el espacio.

Solución a los ejercicios

1. a. ***¡Piensa!***

¿Cuál día tiene el punto más alto en la línea?

Respuesta El viernes.

b. ***¡Piensa!***

¿Cuáles días tienen puntos más altos que la línea horizontal que representa 3 barras de dulce?

Respuesta Domingo, viernes y sábado.

c. ***¡Piensa!***

¿Cuáles días tienen puntos sobre la línea horizontal que representan 0 barras de dulce?

Respuesta Miércoles y jueves.

d. ***¡Piensa!***

¿Cuántas barras de dulce se comió cada día? Súmalas para encontrar cuántas se comió esa semana.

Respuesta $4 + 2 + 1 + 6 + 4 = 17$

2. a. ***¡Piensa!***

¿Cuál fue el pulso al comienzo y al final?

Respuesta 70 latidos por minuto.

b. ***¡Piensa!***

¿Cuándo comenzó a aumentar el pulso y cuándo dejó de hacerlo? Comenzó a aumentar al transcurrir 1 minuto y dejó de aumentar a los 3 minutos. ¿Cuántos minutos pasaron entre estos puntos?

Respuesta Dos minutos

c. ***¡Piensa!***

¿Cuál es el punto más alto de la línea? Sigue este punto hacia la escala de la izquierda y lee el número.

Respuesta 150 latidos por minuto.

d. ***¡Piensa!***

¿En qué momento comenzó a cambiar la pulsación y cuándo regresó a su nivel normal de 70 latidos por minuto? Comenzó a aumentar después de 1 minuto y regresó al valor normal a los 6 minutos. ¿Cuánto transcurrió entre estos dos momentos?

Respuesta 5 minutos.

23

Tablas pictográficas

Objetivo Interpretar y construir tablas pictográficas.

Información Las tablas pictográficas se componen de símbolos llamados pictogramas, que representan un número específico de objetos. En el problema que sigue, se emplea un libro como pictograma para representar 10 libros leídos. Las tablas pictográficas son divertidas y fáciles de leer. Los pictogramas pueden representar cantidades grandes o pequeñas.

Problema

Pregunta El número de libros que leyeron cinco personas diferentes se registró en una tabla pictográfica. Utiliza este dibujo para contestar las preguntas de la **1** a la **3**.

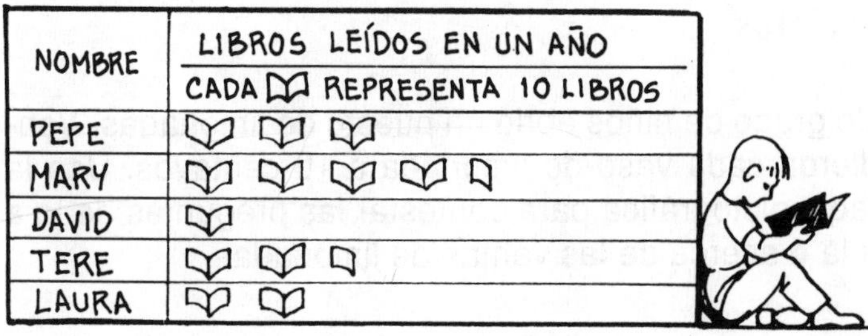

a. ¿Quién leyó menos libros?

b. ¿Cuántos libros leyó Tere?

c. ¿Cuántos libros más debe leer David para igualar los libros que leyó Tere?

a. ***¡Piensa!***

¿Cuál nombre tiene el menor número de símbolos?

Respuesta David.

b. ***¡Piensa!***

¿Cuántos símbolos hay para el nombre de Tere? Hay $2^1/_2$ símbolos. El medio símbolo sería igual a la mitad de 10, o sea a 5. $2^1/_2$ símbolos = 20 + 5 = 25 libros.

Respuesta 25 libros.

c. ***¡Piensa!***

¿Cuántos símbolos hay después del nombre de David? El símbolo indica que leyó 10 libros.

10 libros + ? = 25 libros leídos por Tere

Respuesta 15 libros.

Ejercicios

1. Un grupo de niños abrió un puesto de limonadas. Vendieron cada vaso de limonada a 10 centavos. Usa la tabla pictográfica para contestar las preguntas de la **a** a la **e** acerca de las ventas de limonada.

a. ¿En cuál día se vendieron más vasos de limonada?

b. Laura se tomó los vasos de limonada que quedaron sin vender el sábado. Si tenían 70 vasos de limonada preparados para el sábado, ¿cuántos vasos se bebió la niña?

c. ¿Cuáles fueron los dos días en que vendieron más vasos de limonada?

d. ¿En qué día ganaron menos dinero por las ventas?

* **e.** ¿Cuánto dinero obtuvieron de las ventas de limonadas?

2. Se le dio un globo a cada persona que asistió al carnaval de una escuela. Utiliza la tabla pictográfica de la página siguiente para contestar las preguntas de la **a** a la **d**.

DÍA
ASISTENCIA AL CARNAVAL
CADA REPRESENTA 50 PERSONAS
VIERNES
SÁBADO
DOMINGO

a. ¿Qué día se dieron 250 globos?

b. ¿Cuántas personas asistieron al carnaval durante los 3 días?

c. Para el sábado se prepararon 400 globos. ¿Hubo suficientes globos?

Actividad: CAÍDA DE UNA MONEDA

Objetivo Reunir datos y registrarlos en forma de tabla pictográfica.

Materiales
1 frasco de 4 litros (1 galón)
hoja blanca
copa (para huevo o cualquier otra)
lápiz
10 monedas

Procedimiento

- Coloca la copa al centro y en el fondo del frasco.
- Llena el frasco con agua.
- Sostén una moneda arriba de la superficie del agua.

- Suelta la moneda de manera que caiga en la copa, pasando por el agua.
- Haz lo mismo con las monedas restantes. Usa 10 monedas para cada vuelta.

- Registra en la tabla de la página siguiente el número de monedas que caigan a la copa durante 10 vueltas, usando un círculo para representar cada moneda que caiga en la copa.

VUELTA	MONEDAS QUE CAYERON EN LA COPA CADA ○ REPRESENTA UNA MONEDA
1	
2	EJEMPLO
3	
4	

Resultados Las monedas caen derecho hacia abajo en el aire y se desvían a un lado al entrar en el agua. Puede hallarse una posición arriba del agua que permita que caigan más monedas adentro de la copa.

Vuelta	Monedas que cayeron en la copa ○ Cada pictograma representa una moneda
1	
2	
3	
4	
5	
6	
7	
8	
9	
10	

¿Sabías que...

La luz cambia de dirección al entrar al agua, igual que lo hicieron las monedas? A este cambio de dirección de la luz se le llama refracción y hace que dentro del agua, los objetos parezcan estar donde no están.

Solución a los ejercicios

1. a. ***¡Piensa!***

¿Cuál día tiene el mayor número de pictogramas de vaso?

Respuesta El sábado

b. ***¡Piensa!***

Encuentra la diferencia entre el número de vasos preparados y el número de vasos vendidos. ¿Cuántos se vendieron? ¿Cuántos se prepararon?

preparados	(70)	
– vendidos	(65)	
=	5	vasos

Respuesta Laura se tomó 5 vasos de limonada.

c. ***¡Piensa!***

¿Cuáles días tienen el mayor número de pictogramas?

Respuesta El viernes y el sábado

d. ***¡Piensa!***

¿En qué día fue mínima la venta? Este será el día en que obtuvieron menos dinero por la venta.

Respuesta El domingo.

e.** ***¡Piensa!

¿Cuántos vasos vendieron en total? Cuenta todos los pictogramas y multiplica el total por el costo de un vaso, 10 centavos. 26 pictogramas × 10 = 260.

260 vasos × $0.10 = $26.00

Respuesta $26.00

2. a. ***¡Piensa!***

Número de personas – Número de globos

? pictogramas × 50 = 250

? = 5 pictogramas

En consecuencia, el día que tiene 5 pictogramas de globo es el día en que se regalaron 250 globos.

Respuesta El viernes

b. ***¡Piensa!***

? pictogramas de globo × 50 = Asistencia total

16 × 50 = 800 personas

Respuesta Asistieron 800 personas al carnaval.

c. ***¡Piensa!***

¿Cuántas personas recibieron globos el sábado?

7 pictogramas × 50 = 350 personas
400 globos – 350 globos = 50 globos

Respuesta Sí, hubo 50 globos extra.

24

Gráficas circulares

Objetivo Interpretar información en una gráfica circular.

Información La información que se presenta en las gráficas circulares se expresa, por lo general, en porcentajes. Mientras mayor es el área de la gráfica que se emplea, mayor es el porcentaje que representa. El círculo completo representa el 100 por ciento, o sea la cantidad total. Si se divide el círculo en mitades, cada sección representa el 50 por ciento y cuatro divisiones iguales producen porciones del 25 por ciento.

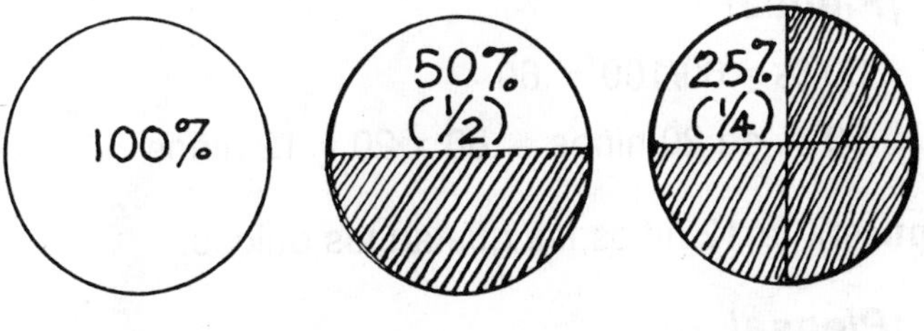

El porcentaje es una relación especial que compara un número con 100. El símbolo de porcentaje, %, significa centésimos o centésimas partes. 60% se lee "sesenta por ciento" y significa 60/100, sesenta centésimos. Los números en porcentaje pueden expresarse como un número decimal, dividiendo el numerador entre 100. Así 60 % es lo mismo que 60/100, o sea, 0.60.

Problemas

Pregunta

1. Se les preguntó a veinte niños acerca de sus golosinas preferidas. Determina el número de niños a los que les gusta cada tipo de golosina.

   a. al 35 % le gustan las papas fritas
   b. al 60 % le gustan los dulces
   c. al 5 % le gustan las pasas

a. ***¡Piensa!***

35 % = 35/100 = .35

35 % de 20 niños = .35 × 20 = 7 niños

Respuesta a 7 niños les gustan las papas fritas.

b. ***¡Piensa!***

60 % = 60/100 = .60

60 % de 20 niños = .60 × 20 = 12 niños

Respuesta a 12 niños les gustan los dulces.

c. ***¡Piensa!***

5 % = 5/100 = .05

5 % de 20 niños = .05 × 20 = 1 niño

Respuesta a 1 niño le gustan las pasas.

Nota: La suma del número de niños a los que les gustaban las diferentes golosinas es igual a 20, que es el número total de niños.

2. Utiliza la gráfica circular para contestar las preguntas de la **1** a la **3** acerca de los 12 litros de aire que hay dentro del globo.

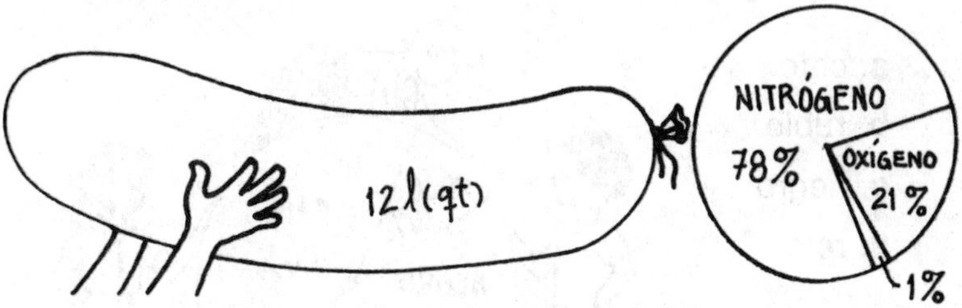

a. ¿Cuál es la suma de los porcentajes de la gráfica?
b. ¿Qué porcentaje del aire del globo es nitrógeno?
c. ¿Cuántos litros de oxígeno hay en el globo?

a. ***¡Piensa!***

78% + 21% + 1% = 100%

Respuesta 100% es la suma de todos los porcentajes en cualquier gráfica circular.

b. ***¡Piensa!***

Halla la parte del círculo marcada como nitrógeno.

Respuesta 78 %

c. ***¡Piensa!***

21 % del volumen de aire del globo es oxígeno.

por lo tanto,

21 % de 12 litros (12 qt) = .21 × 12 l

= 2.52 l (2.52 qt)

Respuesta Hay 2.52 l (2.52 qt) de oxígeno en el globo.

Ejercicios

1. La gráfica circular muestra el porcentaje de color del cabello en un grupo de 30 estudiantes. Utiliza la gráfica para determinar cuántos estudiantes tienen cada color de pelo.

a. café
b. rubio
c. negro
d. rojo

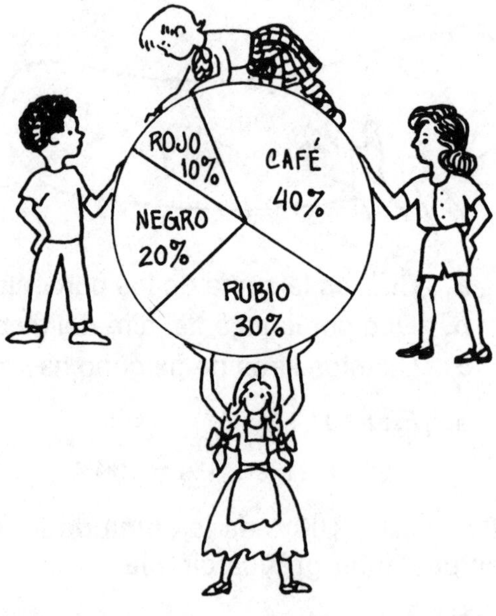

2. David dividió su tiempo diario de tarea de 60 minutos. Utiliza la gráfica para determinar cuántos minutos dedica ahora a las diferentes materias.

a. matemáticas
b. arte
c. historia
d. ciencias naturales
e. ortografía

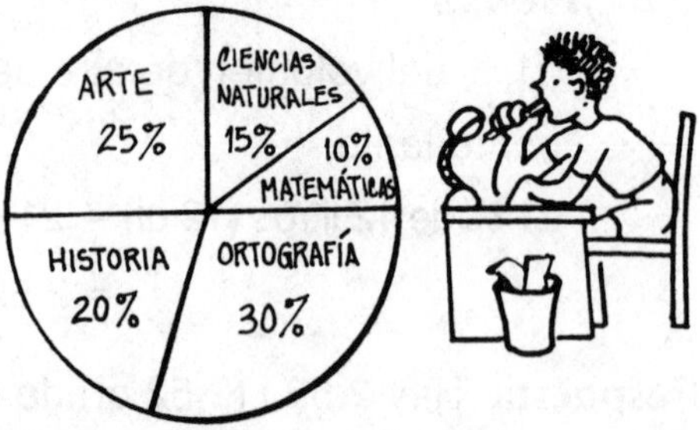

*3. La gráfica circular muestra la forma en que Pepe usa su tiempo en un día de 24 horas.

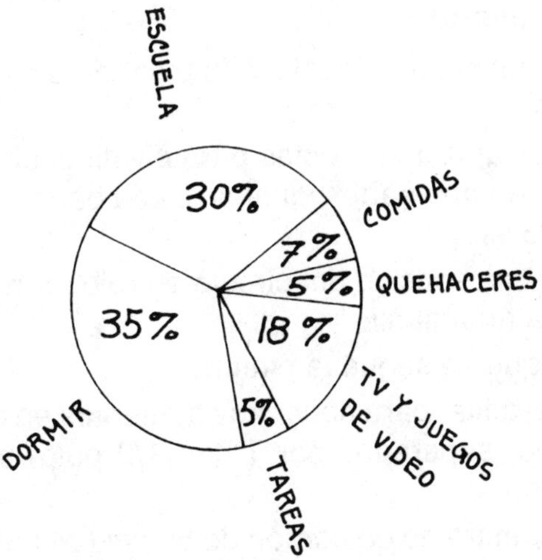

a. ¿Cuántas horas duerme Pepe cada semana?

b. ¿Cuánto tiempo pasa estudiando si sólo estudia por las noches durante los días hábiles?

Actividad: RUEDA DE COLORES

Objetivo Usar una gráfica circular de colores para demostrar la mezcla de éstos.

Materiales *cartulina*
regla
pinturas de agua, en colores rojo, azul y amarillo
pincel
lápiz

alfiler
pegamento blanco
cordón

Procedimiento

- Corta un círculo de 20 cm (8 pulg) de diámetro en cartulina.
- Con el lápiz traza rectas para dividir el círculo de cartulina en tres partes iguales. Cada parte representa el 33 1/3 %.
- Pinta una sección del círculo en rojo, otra en azul y la última en amarillo
- Deja que se seque la pintura.
- Usa el alfiler para hacer dos agujeritos en el centro del círculo, separados por 1 cm (1/2 pulg) aproximadamente.
- Corta un tramo de cordón de 60 cm (24 pulg) de largo.
- Pasa una punta del cordón por uno de los agujeros y la otra punta por el otro.
- Amarra los extremos del cordón.
- Coloca el círculo de cartulina en el centro del cordón.
- Gira el círculo hasta que el cordón quede bien retorcido.
- Jala hacia afuera ambos extremos del cordón hasta que comience a destorcerse, luego afloja la tensión en el cordón para que se tuerza en la dirección contraria.

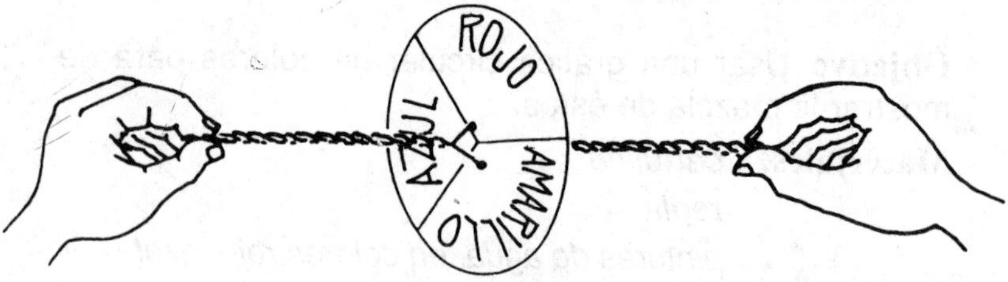

- Jala y suelta el cordón para hacer que el círculo gire rápidamente en una y otra dirección.

Resultados El círculo de cartulina gira rápidamente hacia adelante y hacia atrás. Los colores se mezclan y se ven en conjunto como un color grisáceo.

¿Sabías que...

Tu cerebro retiene cada color 1/16 de segundo después de que ha pasado la sección, lo cual ocasiona que veas mezclados los colores? Si los colores que se usaran para pintar la cartulina fueran azul puro, rojo puro y amarillo puro, la cartulina, al girar, se vería blanca en lugar de gris.

Solución a los ejercicios

1. a. ***¡Piensa!***

40% de 30 niños = número con cabello café

40% × 30 = .40 × 30 = 12 niños

Respuesta 12 niños con cabello café.

b. ***¡Piensa!***

30% de 30 niños = número con cabello rubio

30% × 30 = .30 × 30 = 9 niños

Respuesta 9 niños con cabello rubio.

c. ***¡Piensa!***

20% de 30 niños = número con cabello negro

20% × 30 = .20 × 30 = 6 niños

Respuesta 6 niños con cabello negro.

d. ***¡Piensa!***

10% de 30 niños = número con cabello rojo

10% × 30 = .10 × 30 = 3 niños

Respuesta 3 niños con cabello rojo.

2. a. ***¡Piensa!***

10% × 60 minutos = tiempo para estudiar matemáticas

10% × 60 = .10 × 60 = 6 minutos

Respuesta 6 minutos de tiempo para estudiar matemáticas.

b. ***¡Piensa!***

25% × 60 minutos = tiempo para estudiar arte

25% × 60 = .25 × 60 = 15 minutos

Respuesta 15 minutos de tiempo para estudiar arte.

c. ***¡Piensa!***

20% × 60 minutos = tiempo para estudiar historia

20% × 60 = .20 × 60 = 12 minutos

Respuesta 12 minutos de tiempo para estudiar historia.

d. ***¡Piensa!***

15% × 60 minutos = tiempo para estudiar ciencias naturales

15% × 60 = .15 × 60 = 9 minutos

Respuesta 9 minutos de tiempo para estudiar ciencias naturales.

e. ***¡Piensa!***

30% × 60 minutos = tiempo para estudiar ortografía

30% × 60 = .30 × 60 = .30 × 60 = 18 minutos

Respuesta 18 minutos de tiempo para estudiar ortografía.

3. a.** ***¡Piensa!

Hay 7 días en una semana. Multiplica × 7 el tiempo que utiliza para dormir en un día.

35% × 24 horas = .35 × 24 horas = 8.4 horas

8.4 horas × 7 = 58.8 horas por semana

Respuesta Duerme 58.8 horas cada semana.

b. ***¡Piensa!***

Los días hábiles son lunes a viernes, por lo que estudia 5 días cada semana.

5% × 24 horas = 0.5 × 24 = 1.2 horas

1.2 horas × 5 = 6 horas por semana

Respuesta 6 horas de estudio cada semana.

25

Trazado de gráficas

Objetivo Utilizar datos para construir gráficas.

Información Cada división de la gráfica debe tener el mismo valor. Las escalas vertical y horizontal se marcan para indicar lo que miden. Un título explica cuál es la información que se presenta en la gráfica. El tipo de gráfica depende de los datos reunidos. Cuando un factor varía mientras un segundo factor cambia, como la venta diaria de galletas que aparece en el ejemplo, una gráfica lineal representaría los datos en la mejor forma. Las gráficas de barras se usan para mostrar comparaciones entre datos. Las gráficas circulares son útiles para representar fracciones y las de porcentajes y las tablas pictográficas pueden usarse como tablas de puntuación o cuando intervienen cantidades grandes. El papel cuadriculado facilita la construcción de gráficas porque los cuadrados son uniformes.

Problema

Pregunta Utiliza la siguiente lista de datos de venta de galletas de un grupo de niñas scout para construir una gráfica lineal.

Venta de galletas de las niñas scout	
Día	Número de cajas vendidas
Lunes	10
Martes	20
Miércoles	30
Jueves	20
Viernes	35

Las gráficas A y B utilizan el mismo valor para las escalas, pero la posición de la información es diferente. Una gráfica lineal se utiliza cuando un factor varía mientras el segundo factor cambia. Los días cambian mientras varían las ventas. Al colocar el factor que varía en la escala vertical, como en la gráfica A, se obtiene una gráfica que es más fácil de interpretar.

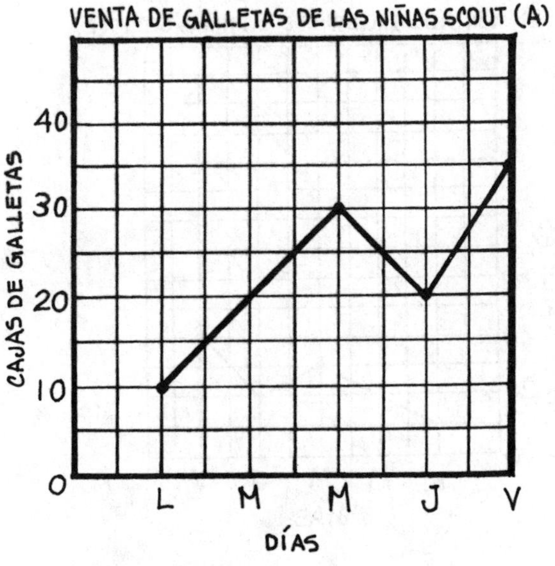

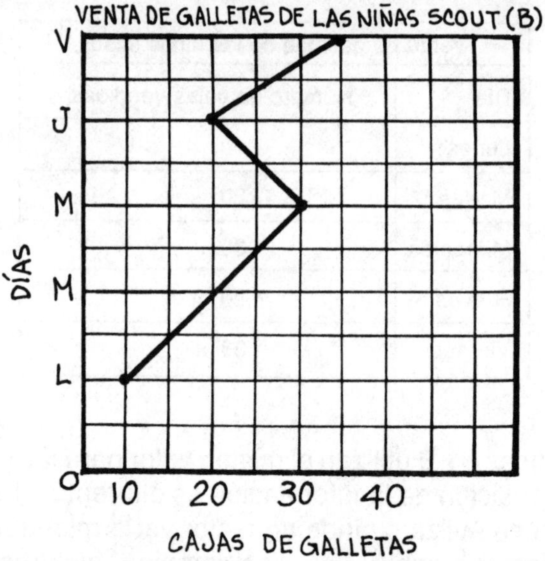

Las gráficas C y D muestran cómo afecta el tamaño de la escala al aspecto de la gráfica. La gráfica D tiene espacios más grandes entre las medidas de la escala vertical que las medidas horizontales y como consecuencia, la gráfica hace aparecer más grandes los cambios en las ventas.

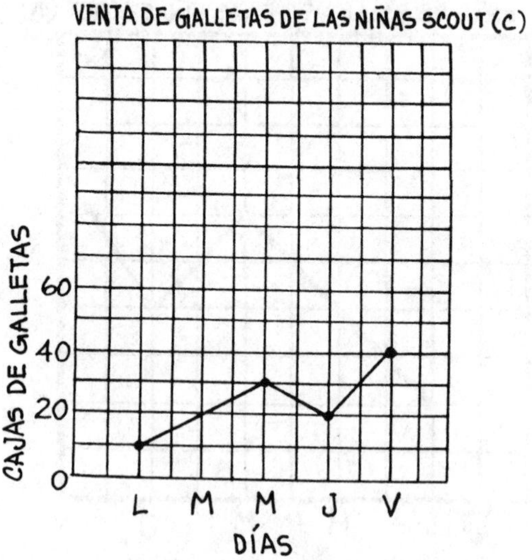

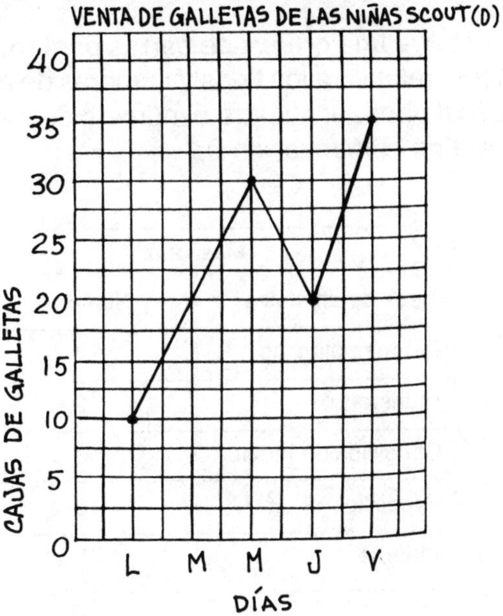

Ejercicios

1. Utiliza los siguientes datos para construir una gráfica lineal. Los números variables de llamadas deben estar en la escala vertical. Marca con las leyendas apropiadas las escalas horizontal y vertical y pon un título a la gráfica.

Llamadas de emergencia	
Hora	Llamadas recibidas
6 A.M.	65
8 A.M.	70
10 A.M.	80
12 M.	90
2 P.M.	95
4 P.M.	95
6 P.M.	90

2. Construye una gráfica de barras para registrar la información relativa a los tipos y números de mascotas. Usa la escala horizontal para el número de mascotas y asegúrate de comenzar en 0.

Mascotas	
Tipos de animales	Número
Ratones blancos	4
Hamsters	2
Conejillos de Indias	3
Pececillos	10
Víboras	1

3. Construye una gráfica circular para representar el número de canicas de cada color.

Color de las canicas	
Color	Número
Rojo	8
Azul	16
Verde	24
Amarillo	4
Anaranjado	12

Actividad: ANILLO EN LA BOTELLA

Objetivo Usar una gráfica para registrar la puntuación de un juego.

Materiales *regla*
botella de vidrio para refresco
tijeras
hoja de papel
lápiz
bastidor pequeño de madera (para bordar)
cuerda (cordón)
jugadores

Procedimiento

- Corta un tramo de cordón de 60 cm (24 pulg) de largo.
- Amarra un extremo del cordón en el lápiz y el otro extremo al bastidor de madera.
- Para la botella de refresco sobre el piso.
- Sostén el extremo libre del lápiz y acerca el anillo a la parte superior de la botella.

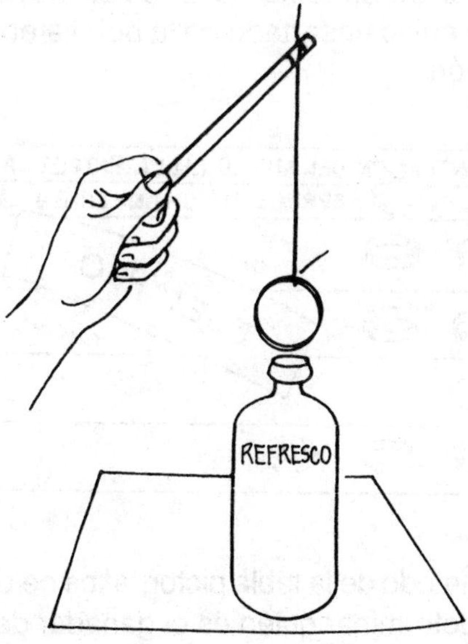

- Baja el cordón hasta dejar el anillo ensartado en la botella.

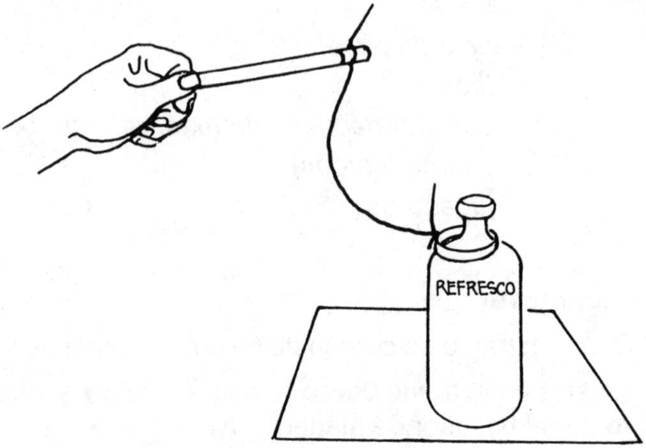

- Diez intentos de colocar el anillo sobre la botella se consideran como una vuelta.
- Prepara una tabla pictográfica de puntuación. Utiliza una botella o un símbolo de tu elección para representar cada anillo ensartado en la botella en tu gráfica de puntuación.

JUGADORES
PUNTUACIÓN DEL ANILLO EN LA BOTELLA
CADA REPRESENTA UN ANILLO EN LA BOTELLA
CAROLINA
TOÑA
BETO
CRISTINA
EJEMPLO

Resultados El método de la tabla pictográfica de puntuación hace más fácil determinar quién es el ganador del juego.

¿Sabías que...

Los jugadores de dominó usan a menudo una tarjeta pictográfica en la que una X representa 10 puntos. La mitad de la X, o sea un solo trazo, indica 5 puntos. Veamos algunos ejemplos del uso de este método:

10 puntos	X
15 puntos	
50 puntos	

Solución a los ejercicios

1. Aunque no hubo una hora con 0 llamadas, la escala vertical comienza en 0. Se tiene una mejor comparación cuando la escala vertical comienza en cero.

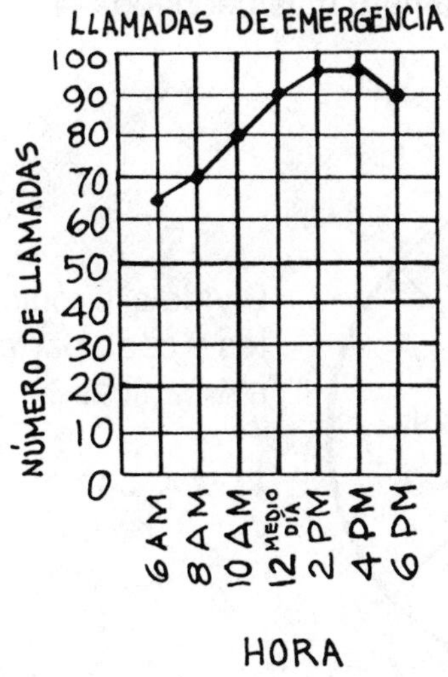

2.

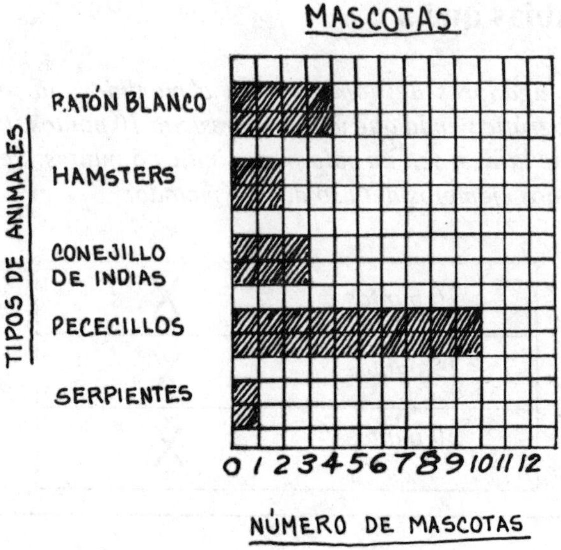

3. ***¡Piensa!***

¿Cuál es el número total de canicas?

8 + 16 + 24 + 4 + 12 = 64

¿Cuál es el número más pequeño? 4

4 × ? = 64

? = 16

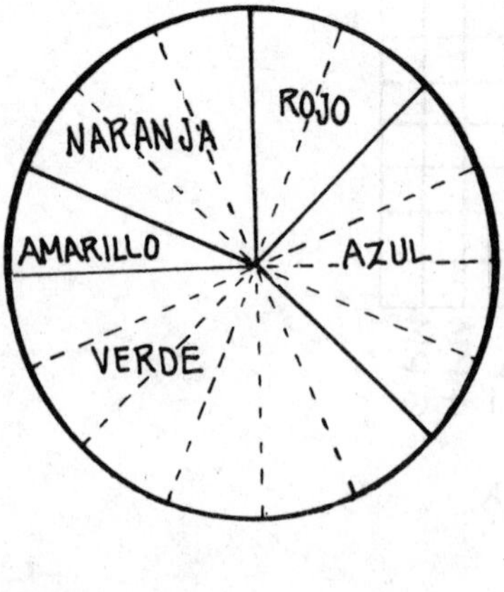

Divide el círculo en 16 partes y cada parte será igual a 4 canicas.

IV

Geometría

26

Ángulos

Objetivo Nombrar e identificar los ángulos rectos, agudos y obtusos.

Información Un **rayo** es una línea recta con un punto extremo. Un **ángulo** es el que se forma cuando dos rayos tienen el mismo punto extremo. Al punto extremo se le llama **vértice**. Se emplean tres letras para dar nombre a un ángulo con el vértice como letra central. Cada ángulo tiene dos nombres y es correcto usar cualquiera de los dos. Los nombres del ángulo que aparece abajo son: ángulo ABC o ángulo CBA. La palabra ángulo puede sustituirse por el símbolo ∠. Los nombres del ángulo son entonces ∠ ABC o ∠ CBA.

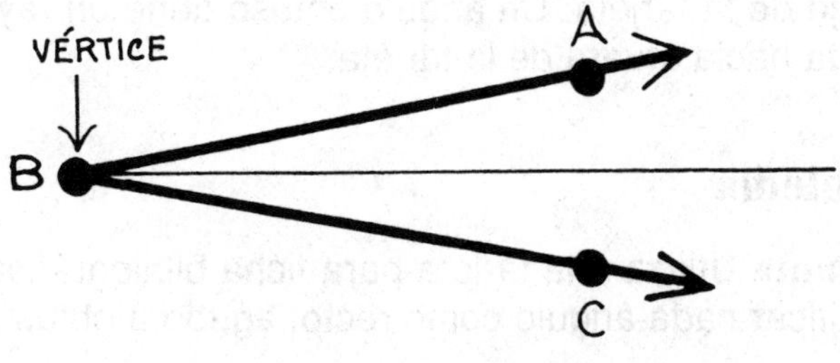

La unidad de medida para un ángulo es el grado. Un grado se escribe como 1°.

Un **ángulo recto** mide 90° y forma una esquina a escuadra. Para indicar un ángulo recto se utiliza un pequeño cuadrado. Un **ángulo agudo** es cualquier ángulo que mide menos de 90°. Un **ángulo obtuso** es cualquier ángulo que mide más de 90°.

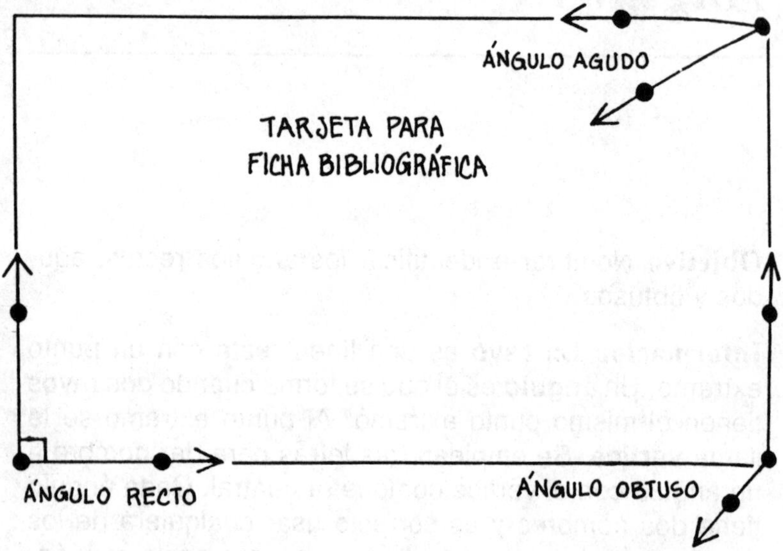

Puede usarse una tarjeta para ficha bibliográfica para identificar los diferentes tipos de ángulos. Coloca la tarjeta dentro del ángulo de manera que una orilla esté sobre un rayo y la esquina de la tarjeta coincida con el vértice del ángulo. Un ángulo recto tiene ambos rayos alineados con las orillas de la tarjeta. Un ángulo agudo tiene un rayo debajo de la tarjeta. Un ángulo obtuso tiene un rayo que apunta hacia afuera de la tarjeta.

Problema

Pregunta Utiliza una tarjeta para ficha bibliográfica para identificar cada ángulo como recto, agudo u obtuso.

a.

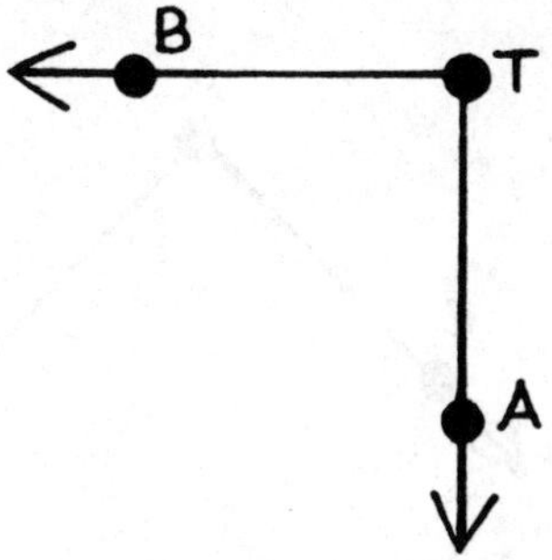

b.

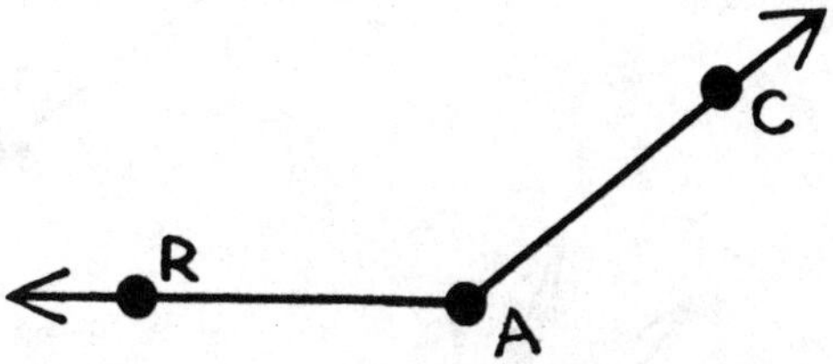

c.

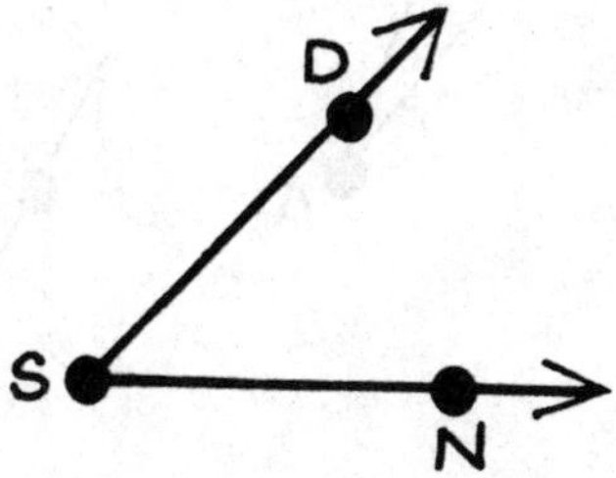

a. ∠ BTA o ∠ ATB, ángulo recto

b. ∠ RAC o ∠ CAR, ángulo obtuso

c. ∠ DSN o ∠ NSD, ángulo agudo

Ejercicios

1. Utiliza una tarjeta para ficha bibliográfica para identificar cada ángulo como recto, agudo u obtuso.

a.

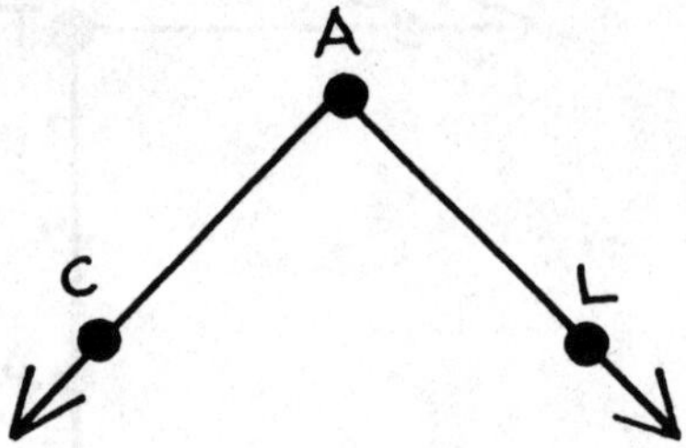

b.

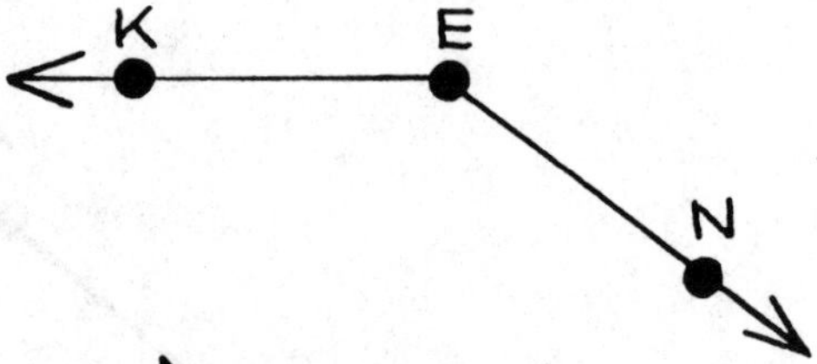

c.

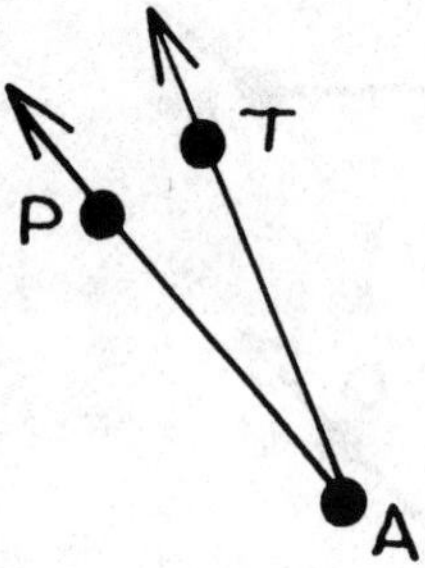

d.

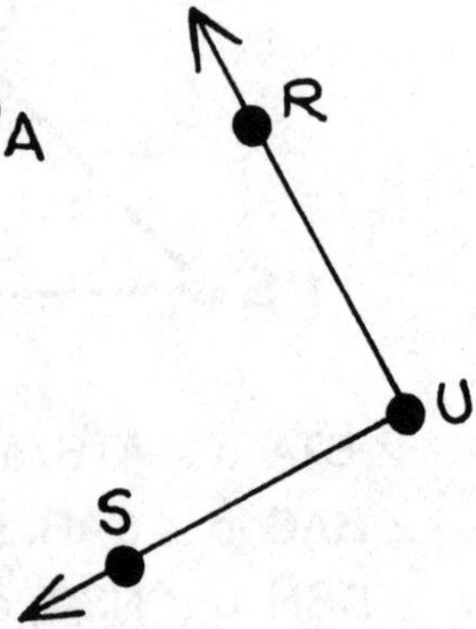

2. Traza un ejemplo para cada uno de los ángulos.

a. ∠ KIM, un ángulo recto

b. ∠ RED, un ángulo agudo

c. ∠ MEG, un ángulo obtuso

3. Hallar el número de ángulos rectos, agudos y obtusos que forman los lados de esta figura de forma irregular.

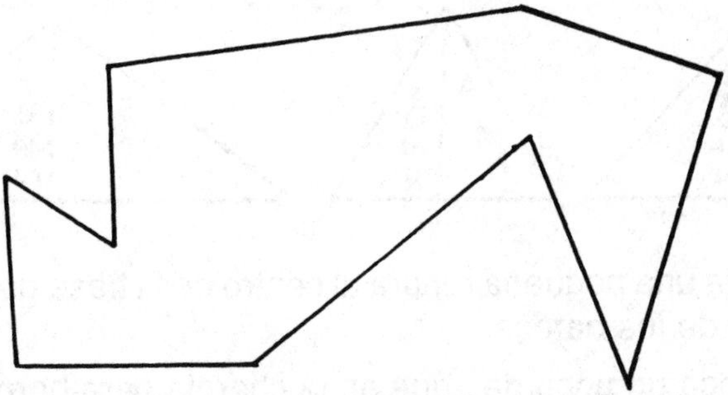

Actividad: EMPUJANDO UN BARCO

Objetivo Demostrar cómo afecta a su movimiento el ángulo de la proa de un barco.

Materiales *charola para hornear*
palillos de dientes
cartulina (puedes usar un folder)
jabón para trastes
regla
lápiz
tijeras
dos ayudantes

Procedimiento

- En la cartulina traza tres triángulos de $2^1/_2$ cm (1 pulgada) de altura aproximadamente.
- La parte superior de uno de los triángulos debe ser un ángulo recto; la del segundo triángulo debe ser un án-

gulo agudo y la del tercer triángulo debe ser un ángulo obtuso.

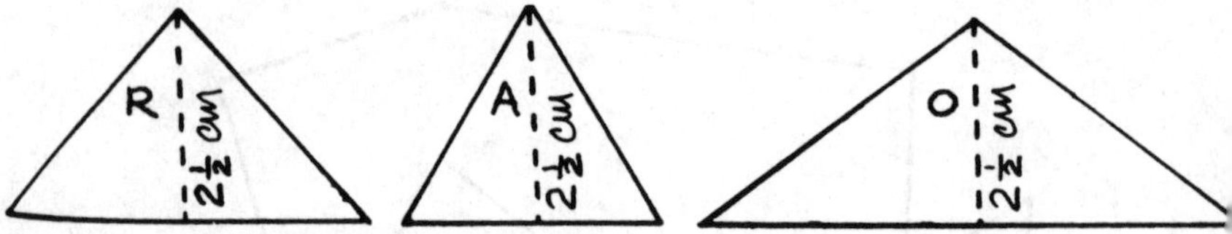

- Corta una pequeña ranura al centro de la base de cada uno de los barcos.
- Coloca un poco de agua en la charola para hornear.
- Coloca separados los tres barquitos de papel **sobre la** superficie del agua en la orilla de la charola.

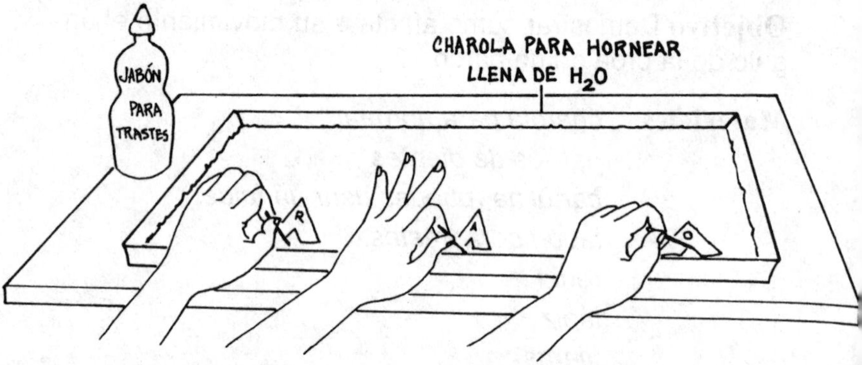

- Humedece las puntas de los tres palillos con agua y luego llénalas con el jabón para trastes; dale uno a cada uno de tus ayudantes.
- Cada uno de los tres debe tocar el agua dentro de la ranura de uno de los barquitos con la punta del palillo al mismo tiempo.
- Observa el movimiento de los barcos.

Resultados Los barcos salen disparados sobre la superficie del agua. El barco con ángulo agudo debe ser el más rápido y el del ángulo obtuso el más lento.

¿Sabías que...

La proa de un barco termina en punta para permitir que el barco se mueva fácilmente por el agua? Los automóviles se construyen para cortar el aire al moverse y los camiones grandes tienen a menudo una coraza curva elevada para desviar el aire hacia arriba y apartarlo de su camino. Mientras menos resistencia opongan el aire y el agua a los autos, camiones y barcos, menos combustible se necesita para moverlos. Esta es una forma de contribuir al control de la contaminación.

Solución a los ejercicios

1. a. ángulo recto

b. ángulo obtuso

c. ángulo agudo

d. ángulo recto

2. a.

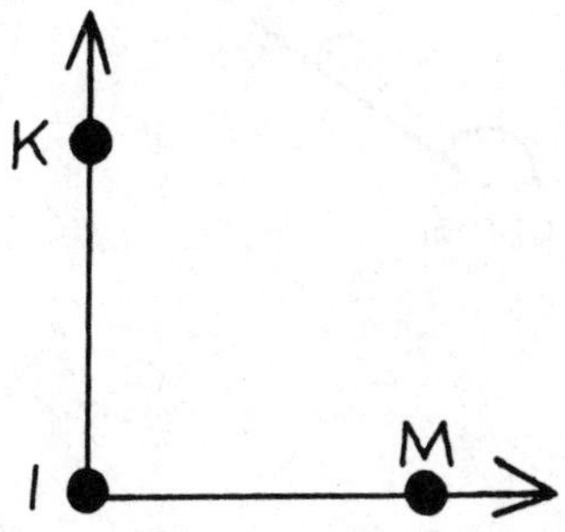

b.

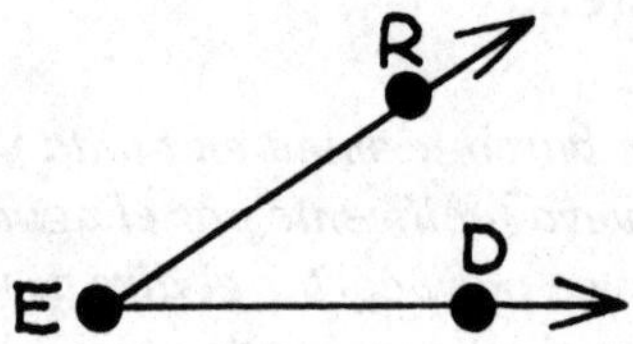
R
D
E

c.

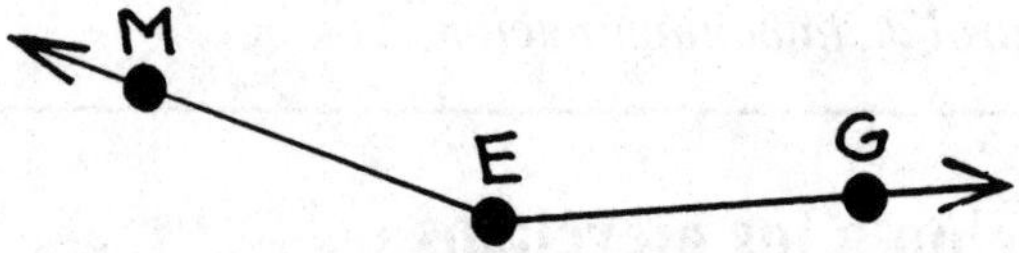
M
E
G

3.

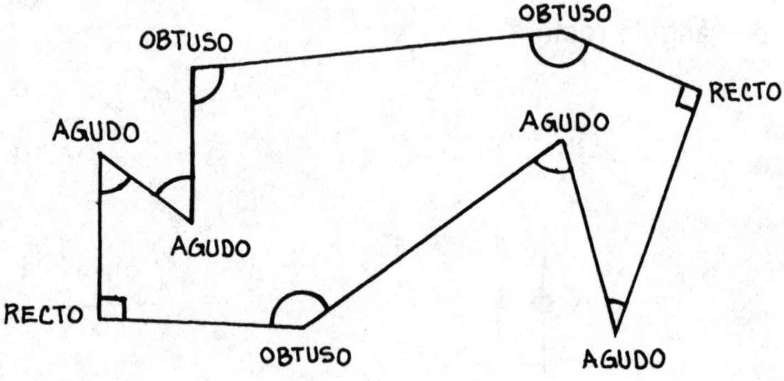
OBTUSO
OBTUSO
RECTO
AGUDO
AGUDO
AGUDO
RECTO
OBTUSO
AGUDO

27

El transportador

Objetivo Medir ángulos con un transportador.

Información Un **transportador** es un instrumento que se emplea para medir ángulos en grados. Tiene la forma de un medio círculo. Para medir un ángulo con un transportador, coloca la marca del centro del instrumento sobre el vértice del ángulo y el borde sobre uno de los rayos del ángulo. Tendrás dos números para escoger donde el segundo rayo cruza la escala. Uno de los números representará un ángulo agudo (menor de 90°) y el otro un ángulo obtuso (mayor de 90°). La suma de estos dos números siempre es igual a 180°. El rayo IK cruza la escala en 50° y 130°. Como el ángulo es agudo, ∠ KIM es 50°.

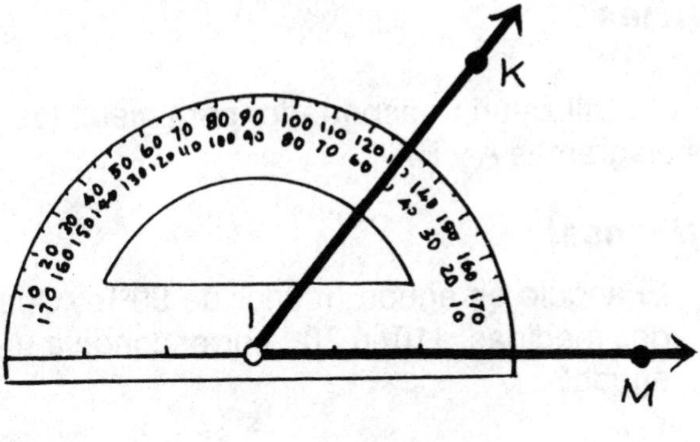

Cuando los ángulos tienen rayos demasiado cortos para cortar la escala del transportador, se puede usar una hoja de papel o cualquier superficie recta (como una regla, por ejemplo). Acomoda la orilla del papel a lo largo del rayo y lee los números en los que el papel cruza la escala del transportador. En el diagrama, la orilla del papel cruza en los ángulos 40° y 140°. El ángulo JAM es obtuso, por tanto JAM tiene un valor de 140°.

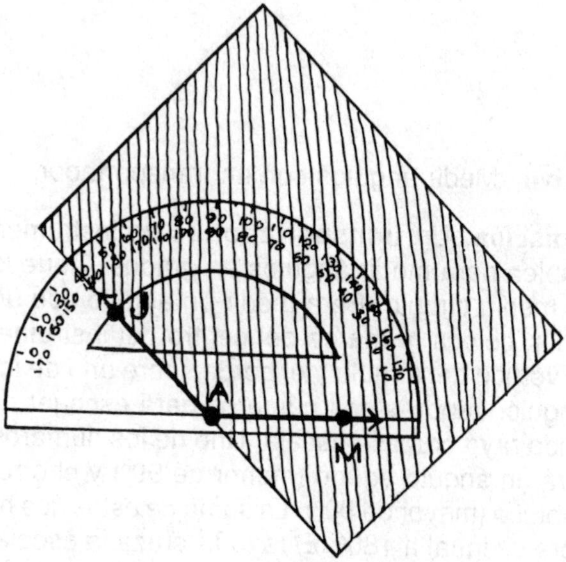

Problema

Pregunta Utiliza un transportador para medir los ángulos en los diagramas A y B.

a. ***¡Piensa!***

El ángulo es agudo (menor de 90°). ¿Cuál de las dos medidas, 110° ó 70°, corresponde a un ángulo agudo?

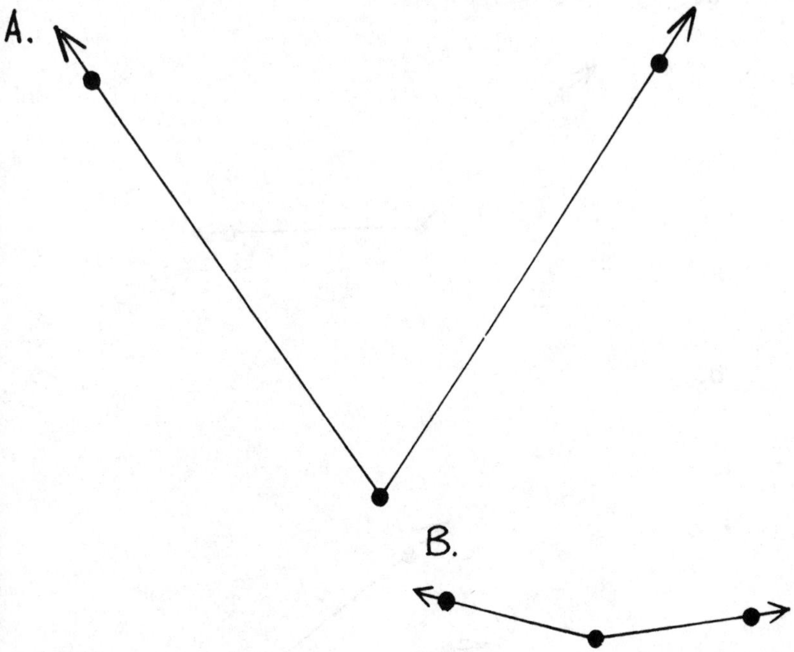

Respuesta 70°

b. ***¡Piensa!***

El ángulo es obtuso (mayor de 90°). ¿Cuál de las dos medidas, 160° ó 20°, corresponde a un ángulo obtuso?

Respuesta 160°

Ejercicios

1. Utiliza un transportador para medir los siguientes ángulos.

a.

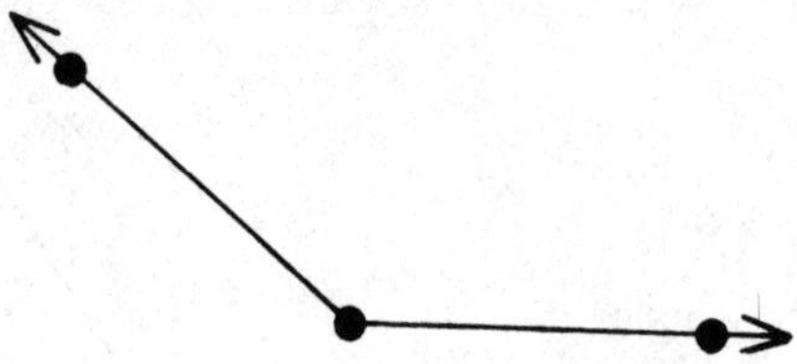

b.

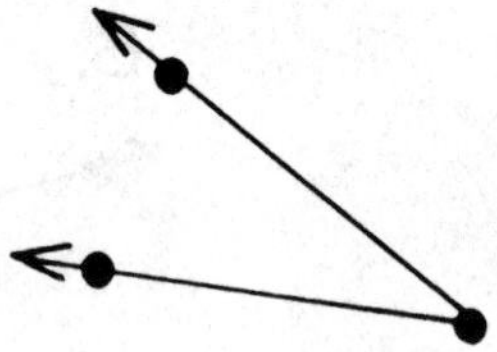

c.

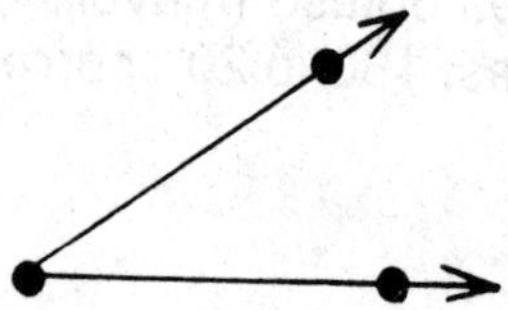

*2. La carátula de un reloj puede usarse para dar dirección. Si el norte se encuentra frente a ti y la manecilla grande señala las 12, ¿cuál es la dirección para estas horas?

a. Las 2

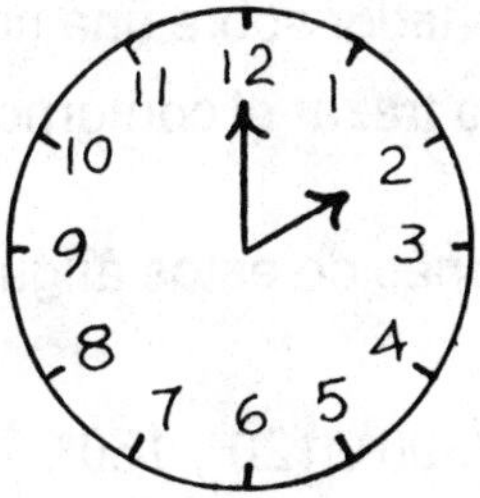

b. Las 3

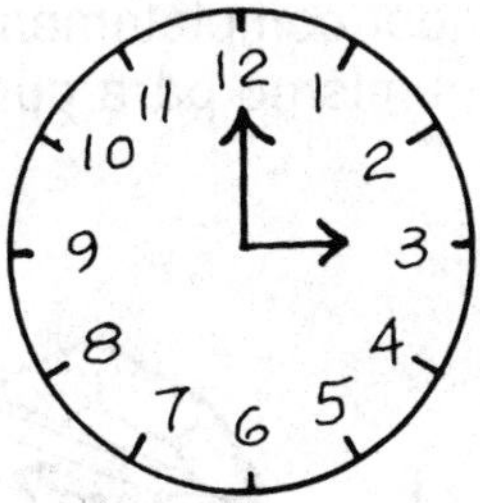

c. Las 7

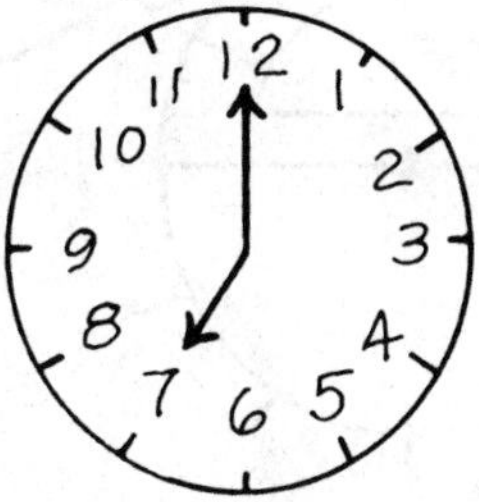

Actividad: RELOJ DE SOL

Objetivo Usar un transportador para hacer un reloj de sol.

Materiales *Un cuadrado de cartulina, de alrededor de 20 cm (8 pulg) por lado*
transportador
bolígrafo (pluma)
lápiz
reloj de pulsera

Procedimiento

- Coloca el transportador sobre una hoja de cartulina.
- Usa la pluma para trazar el contorno exterior del transportador.
- Marca las posiciones de estos ángulos en la cartulina:

  0°, 30°, 60°, 90°, 120°, 150°, 180°.

- Gira el transportador completamente y marca el contorno exterior del mismo para completar el círculo.

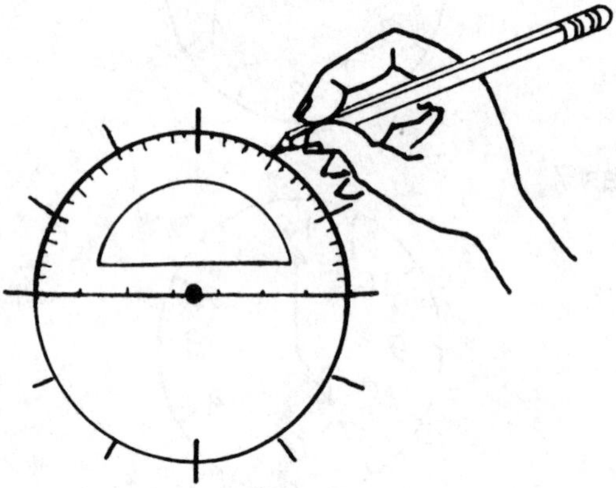

- Marca las posiciones de estos ángulos en la cartulina:

  30°, 60°, 90°, 120°, 150°.

- Escribe los números 1 al 12 en el interior del círculo como aparecen en la carátula de un reloj. Dibuja cada número junto a cada uno de los ángulos marcados.

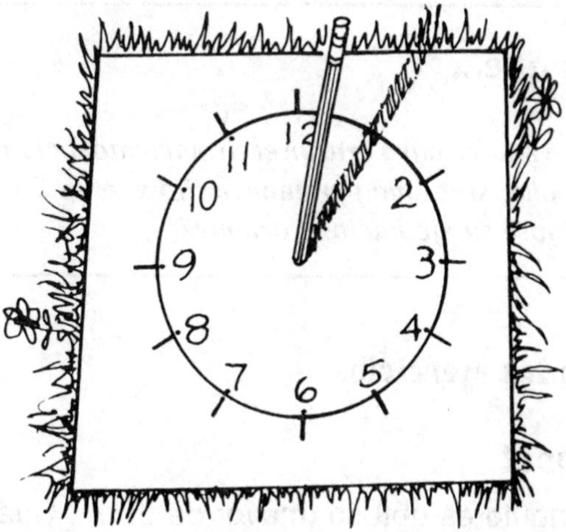

- Coloca la cartulina sobre el suelo con el diagrama del reloj hacia arriba. Asegúrate de que el reloj esté bajo luz solar directa.

- Introduce la punta del lápiz en el centro del reloj y en la tierra. El lápiz debe colocarse vertical.

- Cuando tu reloj de pulsera indique la 1:00, gira la cartulina alrededor del lápiz de manera que la sombra del lápiz caiga sobre el número 1 del círculo.

  Nota: Puedes escoger otra hora para comenzar tu actividad.

- Observa el movimiento de la sombra del lápiz alrededor del reloj de sol al ir pasando el tiempo.

Resultados Los números del reloj de sol están separados cada 30°. La posición del sol cambia al paso del tiempo. La diferencia en la posición del sol hace que cambie la sombra del lápiz. La sombra cae en la cartulina sobre el mismo número que marca tu reloj.

¿Sabías que...

El sol no se mueve para cruzar el firmamento de la mañana a la noche, sino que permanece fijo y es la Tierra la que gira sobre su eje hacia el oriente?

Solución a los ejercicios

1. a. *¡Piensa!*

El ángulo es obtuso (mayor de 90°). ¿Cuál de las dos medidas, 40° ó 140°, corresponde a un ángulo obtuso?

Respuesta 140°

b. *¡Piensa!*

El ángulo es agudo (menor de 90°). ¿Cuál de las dos medidas, 30° ó 150°, corresponde a un ángulo agudo?

Respuesta 30°

c. *¡Piensa!*

El ángulo es agudo y toca la quinta marca entre las divisiones numeradas. Las opciones de ángulo son 35° y 145°. ¿Cuál de estas opciones es un ángulo agudo?

Respuesta 35°

2. a. *¡Piensa!*

¿Cuáles son las opciones de ángulo? 60° y 120°. ¿Es el ángulo agudo u obtuso? Agudo. ¿Está el ángulo hacia la derecha o hacia la izquierda de 12? Hacia la derecha.

Respuesta 60° a la derecha.

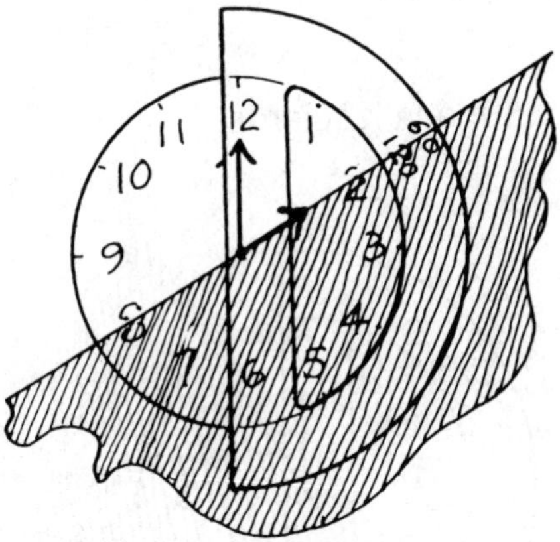

b. ***¡Piensa!***

¿Cuál es el ángulo? 90° ¿Está el ángulo hacia la derecha o hacia la izquierda de 12? Hacia la derecha.

Respuesta 90° a la derecha

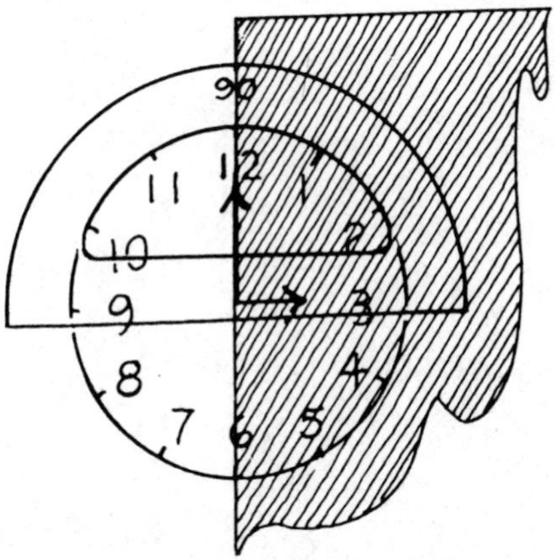

c. *¡Piensa!*

¿Cuáles son las opciones de ángulo? 30° y 150°. ¿Es el ángulo obtuso o agudo? Obtuso. ¿Está el ángulo hacia la derecha o hacia la izquierda? Hacia la izquierda.

Respuesta 150° a la izquierda.

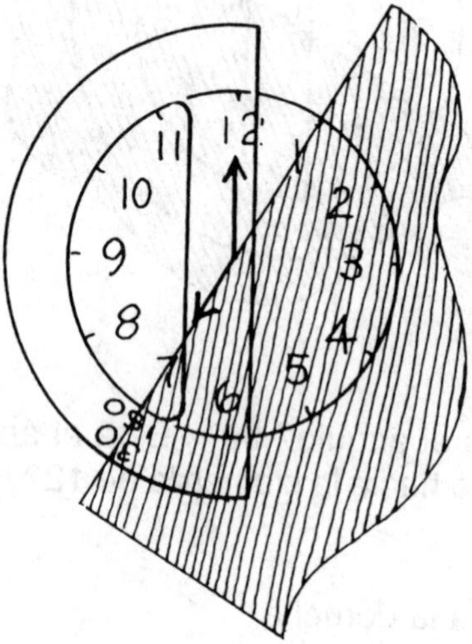

28

Cómo usar el transportador

Objetivo Usar un transportador para determinar la altura de objetos distantes.

Información Es posible usar un transportador para construir un **astrolabio**, que es un instrumento que se utiliza

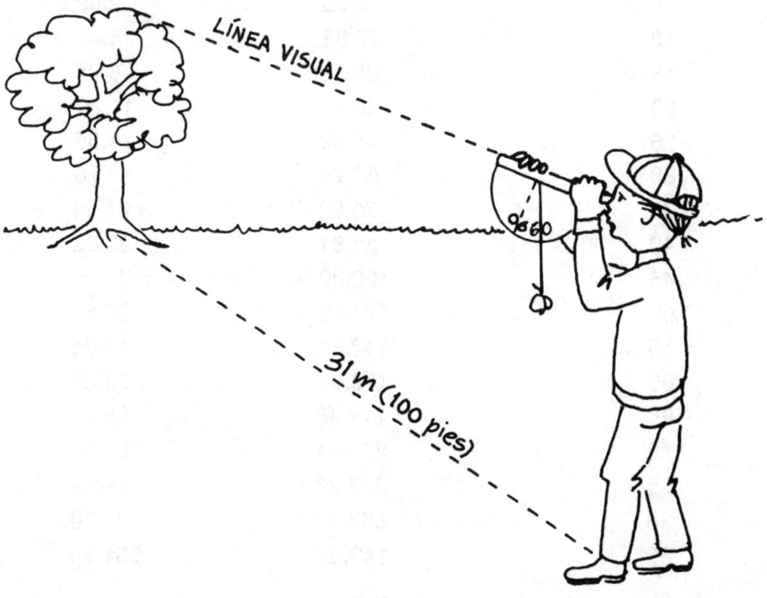

para medir las alturas de objetos distantes. En la posición inicial, el cordón que tiene un contrapeso cuelga en línea recta sobre la marca de 90° de la escala del transportador. Al mover un extremo del transportador se mueve la escala, pero el cordoncillo sigue colgando derecho hacia abajo. Para determinar la altura de un objeto distante, se emplean el ángulo del transportador y la tabla de alturas. Para determinar las medidas de la tabla de alturas para el astrolabio se usó la altura de una persona de altura media y un objeto situado a una distancia de 31 m (100 pies).

Tabla de alturas para el astrolabio

Ángulo en grados	Altura en pies	Altura en metros
1	1.75	.54
2	3.52	1.08
3	5.24	1.61
4	6.99	2.15
5	8.75	2.69
10	17.63	5.43
15	26.79	8.24
20	36.40	11.20
25	46.63	14.35
30	57.74	17.76
35	70.02	21.54
40	83.91	25.82
45	100.00	31
50	119.18	36.67
55	142.81	43.94
60	173.21	53.29
65	214.45	65.98
70	274.74	84.54
75	373.21	114.83
80	567.13	174.50
85	1143.00	351.94

Problema

Pregunta Utilizar las lecturas de la tabla de alturas para determinar la altura del árbol.

¡Piensa!

¿Cuál fue la posición inicial del cordón? 90°

¿En qué posición se detuvo el cordón? 60°

¿Cuál es la diferencia entre la posición inicial y la final del cordón? 90° – 60° = 30°

¿Cuál es la altura a 30°?

Respuesta 17.76 m (57.74 pies).

Ejercicios

La posición inicial para el astrolabio en cada problema es 90°. Usa la lectura obtenida en la escala del astrolabio y la tabla de alturas para determinar la altura del objeto distante en cada problema.

1. ¿Cuál es la altura del asta?

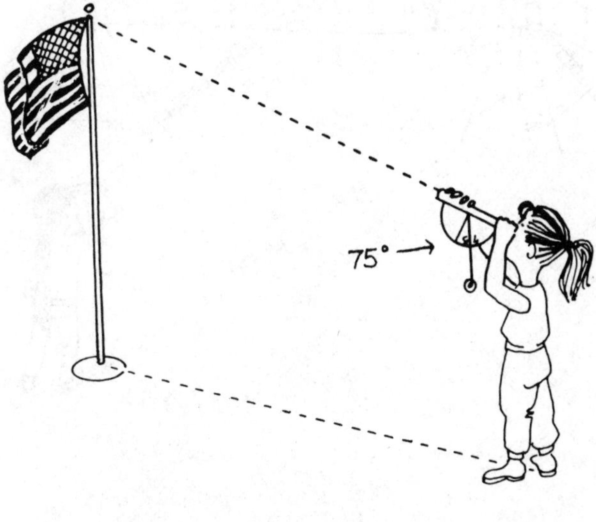

2. ¿A qué altura está el cohete del suelo?

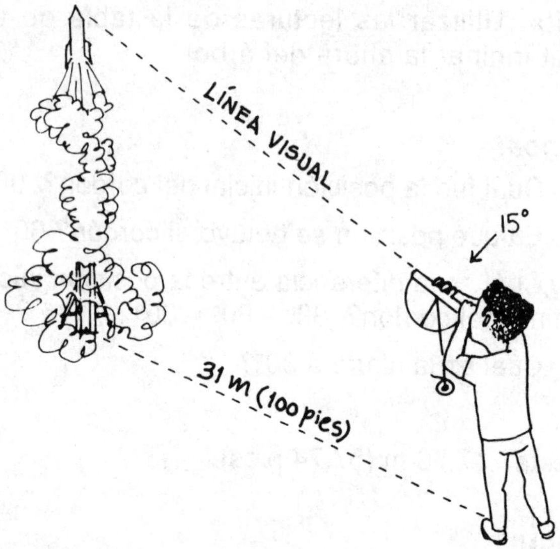

*3. La cuerda floja está a 34.87 m (113.33 pies) del terreno. Utiliza la medida del astrolabio para determinar la altura del equilibrista.

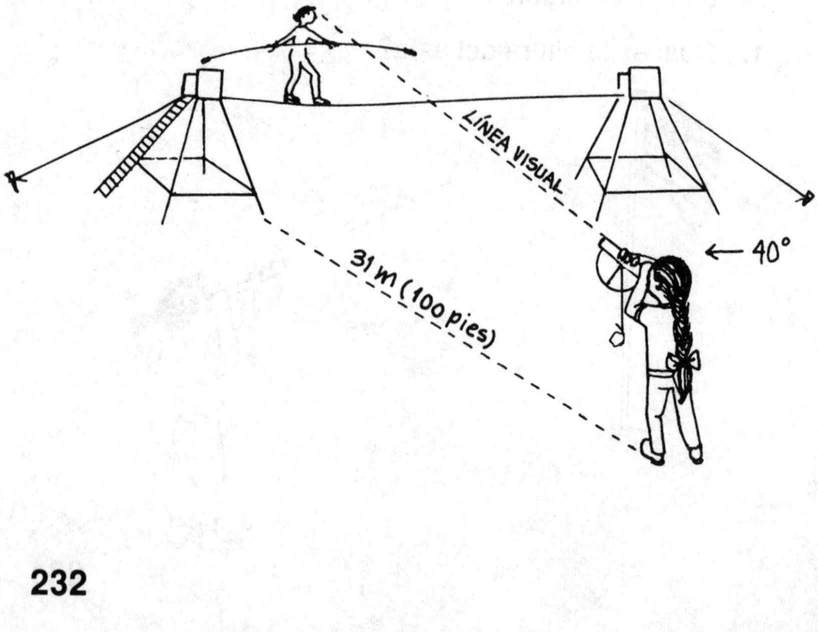

Actividad: ASTROLABIO

Objetivo Usar un astrolabio para determinar la altura de diversos objetos.

Materiales
popote
argolla
transportador
metro
cuerda (cordón)
cinta adhesiva transparente
ayudante

Procedimiento

- Corta un tramo de cordón de 30 cm (12 pulg).
- Amarra el cordón al centro del transportador y cuelga la argolla en el extremo libre del cordón.

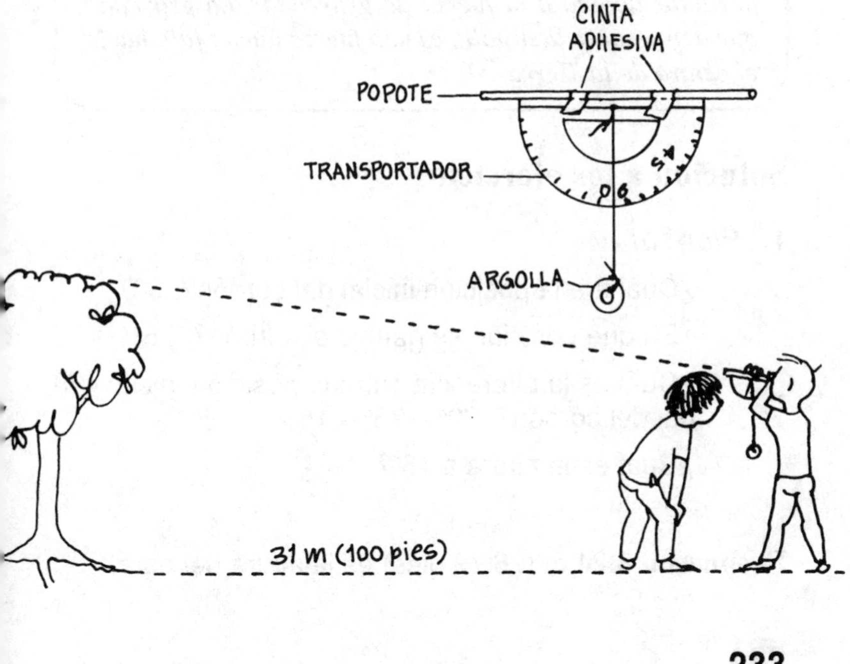

- Pega con cinta adhesiva el popote al borde superior del transportador.
- Párate a 31 m (100 pies) de un objeto alto, como un árbol o un edificio. Utiliza el metro para medir la distancia de 31 m (100 pies).
- Mira a través del popote hacia la parte superior del objeto y pide a tu ayudante que determine al ángulo del cordón colgante.
- Utiliza la tabla de alturas para determinar la altura del objeto.

Resultados Entre más grande es el objeto, el ángulo también es mayor.

¿Sabías que...

La argolla cuelga en línea recta mientras gira el transportador debido a la fuerza de gravedad? La gravedad que actúa sobre la argolla es una fuerza que la jala hacia el centro de la Tierra.

Solución a los ejercicios

1. *¡Piensa!*

¿Cuál fue la posición inicial del cordón? 90°

¿En qué posición se detuvo el cordón? 75°

¿Cuál es la diferencia entre la posición inicial y final del cordón? $90° - 75° = 15°$

¿Cuál es la altura a 15°?

Respuesta 8.24 m (26.79 pies) es la altura del asta.

2. ***¡Piensa!***

¿Cuál fue la posición inicial del cordón? 90°

¿En qué posición se detuvo el cordón? 15°

¿Cuál es la diferencia entre la posición inicial y final del cordón? $90° - 15° = 75°$

¿Cuál es la altura que corresponde a 75°?

Respuesta 114.83 m (373.21 pies) es la altura del cohete.

3. ***¡Piensa!***

¿Cuál fue la posición inicial del cordón? 90°

¿En qué posición se detuvo el cordón? 40°

¿Cuál es la diferencia entre la posición inicial y la final del cordón? $90° - 40° = 50°$

¿Cuál es la altura que corresponde a 50°? 36.67 m (119.18 pies)

¿Cuál es la diferencia entre la altura del equilibrista y la altura del cable?

36.67 m – 34.87 m = 1.8 m

119.18 pies – 113.33 pies = 5.85 pies

Respuesta 1.8 m (5.85 pies) es la altura del hombre.

29

Polígonos

Objetivo Identificar los polígonos.

Información Un **polígono** es una figura simple y cerrada, compuesta por líneas rectas. Los lados del polígono se encuentran para formar ángulos. Cada punto en que se encuentran dos lados se llama **vértice.**

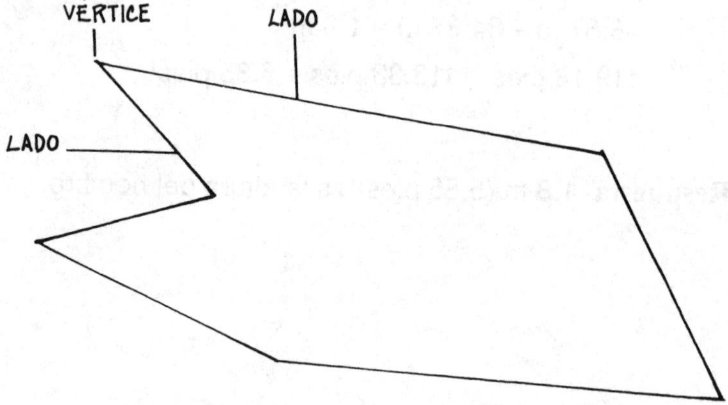

A los polígonos se les llama de acuerdo con el número de lados que tienen. Algunos de los más pequeños y comunes son:

Nombre	Número de lados
Triángulo	3
Cuadrilátero	4
Pentágono	5
Hexágono	6
Heptágono	7
Octágono	8
Nonágono	9
Decágono	10

Problema

Pregunta Determina para cada figura:

a. El número de lados rectos.

b. ¿Es un polígono?

c. Si es un polígono, ¿qué clase de polígono?

1. **a**. No tiene lados rectos

b. No es un polígono.

2. **a**. No tiene lados rectos

b. No es un polígono.

3. **a**. 8 lados rectos

b. Sí, es un polígono.

c. Octágono

4. **a**. 3 lados rectos

b. Sí, es un polígono.

c. Triángulo

5. **a**. 4 lados rectos

b. Sí, es un polígono.

c. Cuadrilátero

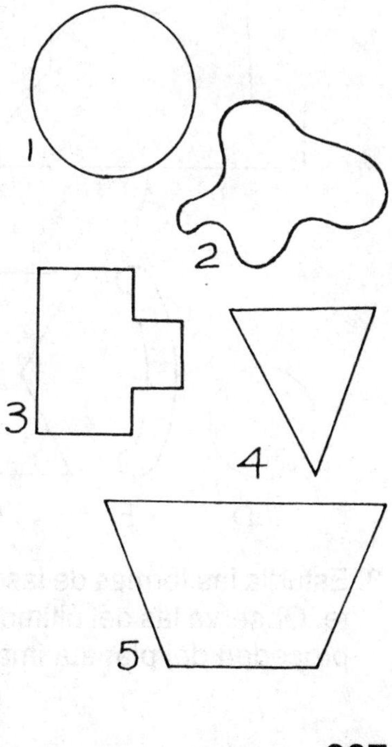

Ejercicios

1. Da los nombres de estos polígonos comunes.

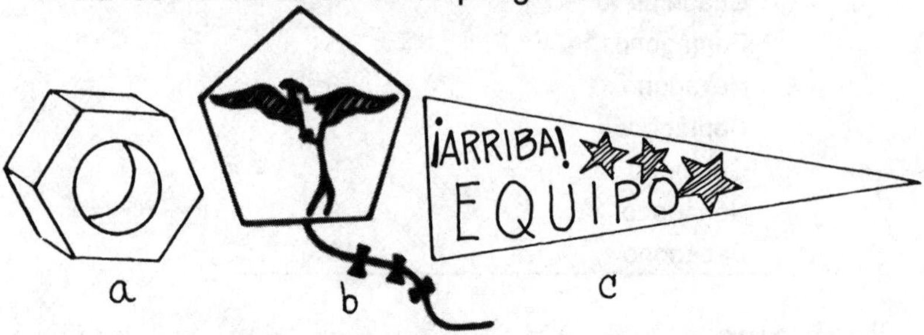

2. Para cada una de las siguientes figuras, determina:

a. El número de lados rectos.

b. ¿Es un polígono?

c. El nombre del polígono.

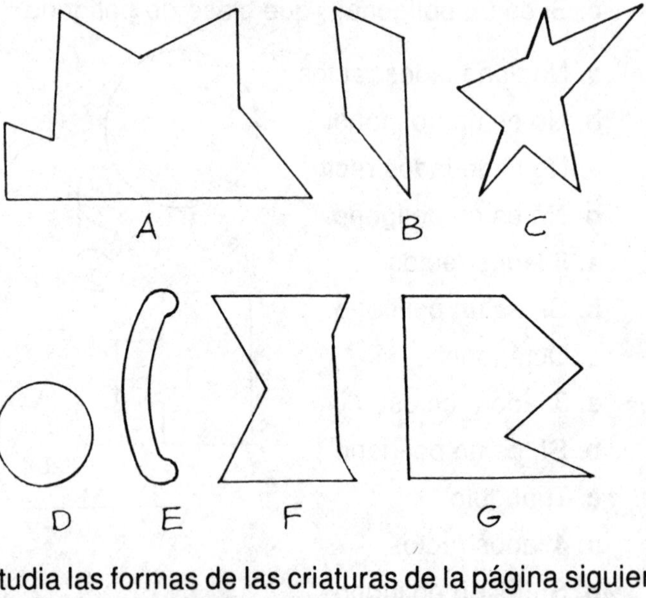

3. Estudia las formas de las criaturas de la página siguiente. Observa las del último grupo e indica cuáles de ellas proceden del planeta imaginario de Zurp.

Estas criaturas son de Zurp.

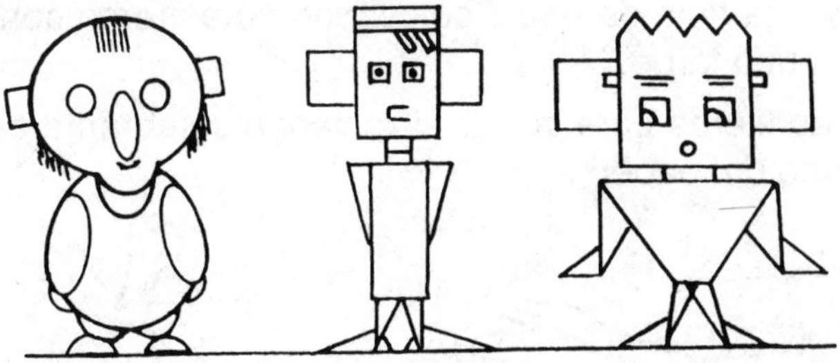

Estas criaturas no son de Zurp.

¿Cuáles de estas criaturas son de Zurp?

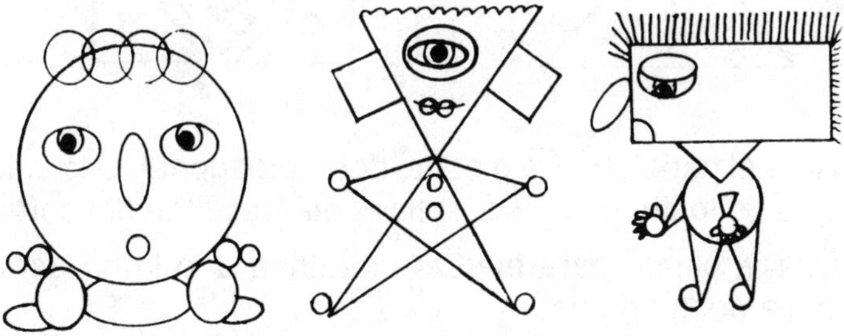

Actividad: TRES A CUATRO

Objetivo Cambiar la forma de los polígonos.

Materiales *hoja de papel*
tijeras
bolígrafo (pluma)

Procedimiento

- Dobla una hoja de papel colocando un extremo corto contra uno largo.
- Usa las tijeras para cortar el rectángulo sobrante del extremo del papel.

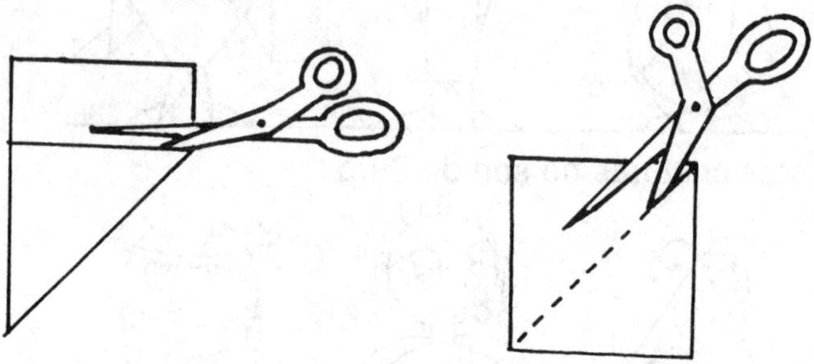

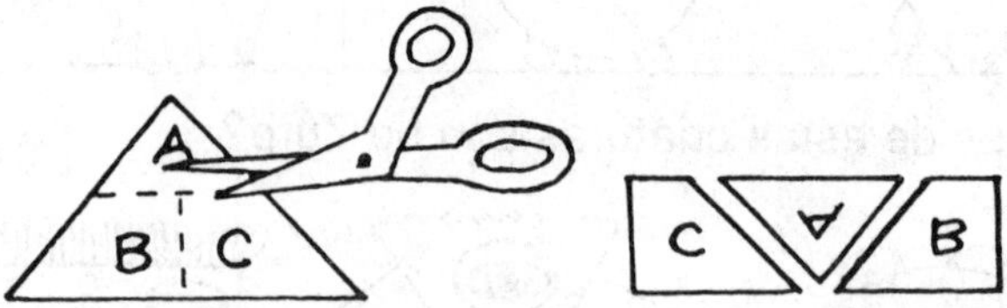

- Abre el papel y córtalo por el doblez diagonal. Usa sólo uno de los triángulos idénticos que resultan del corte.
- Usa la pluma para marcar una línea a lo largo de la orilla del triángulo.
- Corta por el centro del triángulo para formar el triángulo A como se ve en el diagrama.
- Corta a la mitad el cuadrilátero resultante para obtener las secciones B y C.
- Coloca las secciones A, B y C como se indica para formar un cuadrilátero.
- Reacomoda las secciones para formar diferentes polígonos.

Resultados El triángulo se corta y se acomoda para formar un rectángulo, que es un polígono de cuatro lados, es decir, un cuadrilátero. Pueden formarse muchos tipos diferentes de polígonos con las tres piezas.

¿Sabías que...
La suma de los ángulos de cualquier triángulo es igual a 180°? Los tres vértices del triángulo de esta actividad forman una línea recta, 180°, cuando se colocan juntos.

Solución a los ejercicios

1. **a.** Una tuerca de seis lados es un ejemplo de hexágono.
   b. Una cometa con la forma de este polígono es un ejemplo de un pentágono.
   c. El banderín es un triángulo.
2. **A. a.** 8 lados
   b. Sí
   c. Octágono
   B. a. 4 lados
   b. Sí
   c. Cuadrilátero
   C. a. 10 lados
   b. Sí
   c. Decágono
   D. No es un polígono
   E. No es un polígono
   F. a. 7 lados
   b. Sí
   c. Heptágono
   G. a. 6 lados
   b. Sí
   c. Hexágono
3. Los Zurps tienen orejas cuadradas.

Es el único Zurp.

30

Simetría

Objetivo Identificar líneas de simetría en una figura geométrica.

Información Una **figura simétrica** se puede doblar a lo largo de una línea de simetría y las dos mitades de la figura son exactamente iguales entre sí. La **línea de simetría** divide a la figura en dos partes que son imágenes de espejo una de la otra. Si se coloca un espejo sobre la línea de simetría, puede verse la figura completa.

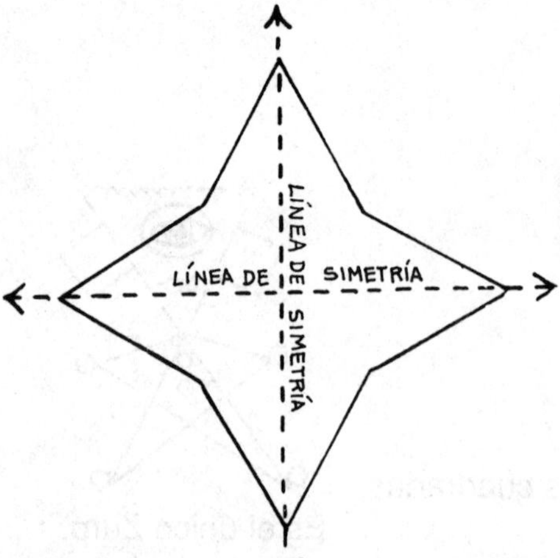

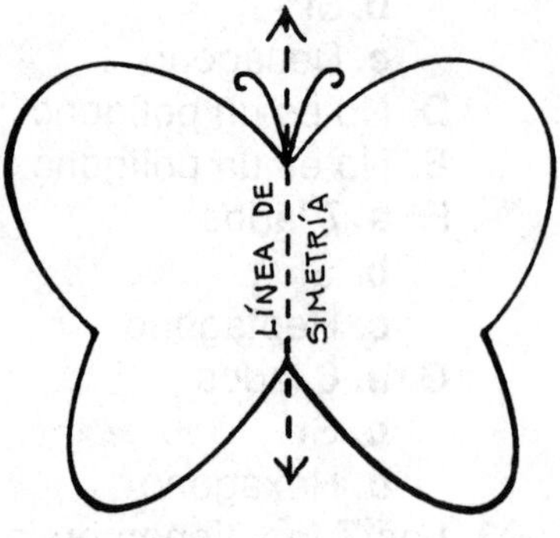

Algunas figuras tienen más de una línea de simetría como lo indican las dos líneas en el diagrama de la estrella. La mariposa sólo tiene una línea de simetría.

Problema

Pregunta Determinar si las líneas punteadas son líneas de simetría para las figuras.

a.

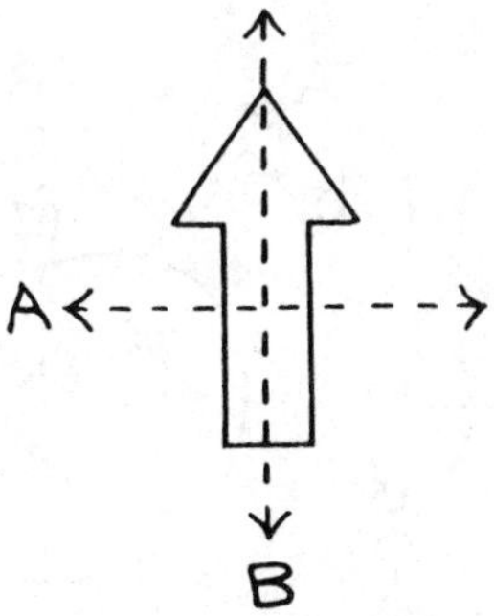

b.

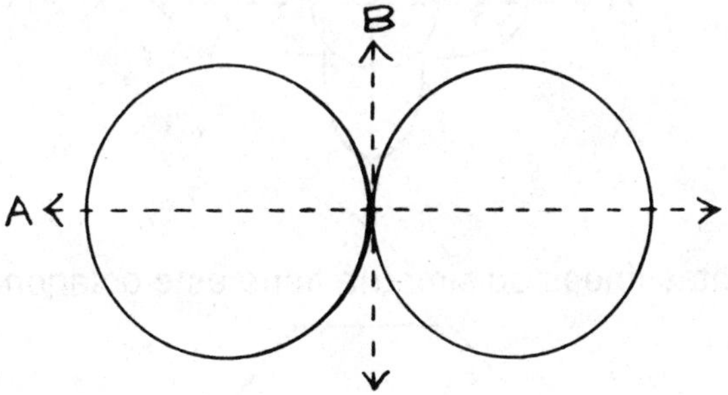

a. ***¡Piensa!***

¿Sobre qué línea puede doblarse la figura para formar dos mitades que coincidan exactamente?

Respuesta Línea B.

b. *¡Piensa!*

¿Sobre cuáles líneas puede doblarse la figura para formar dos mitades que coincidan exactamente?

Respuesta Líneas A y B

Ejercicios

1. Determina si las líneas punteadas son líneas de simetría para las figuras.

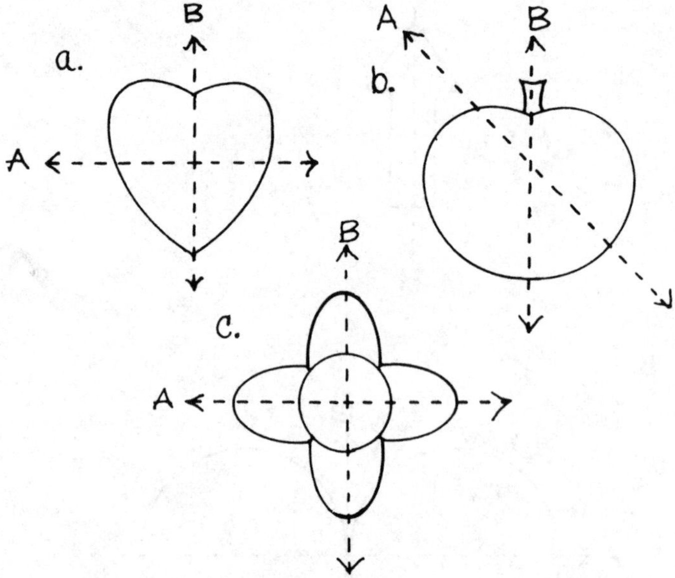

2. ¿Cuántas líneas de simetría tiene este octágono?

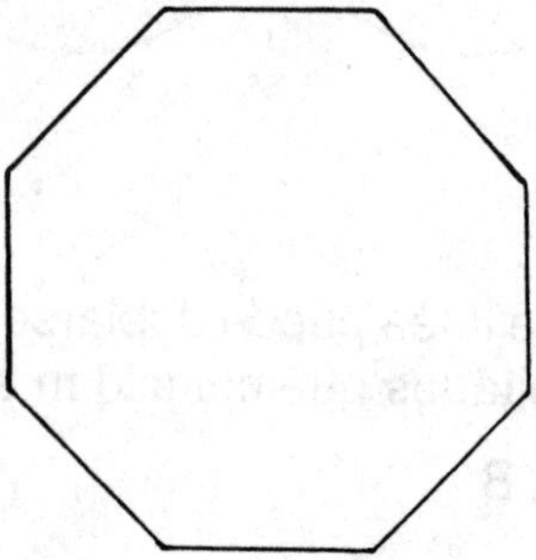

3. Toma 4 hojas de papel. Dobla cada hoja una vez. En cada una dibuja y corta de manera que la pieza tenga al desdoblarla la forma de una de estas letras mayúsculas:

A, C, E, H

Actividad: RECORTES

Objetivo Recortar figuras simétricas.

Materiales *hoja de papel*
tijeras
lápiz
marcadores de colores

Procedimiento

- Dobla aproximadamente $2^1/_2$ cm (1 pulgada) del extremo de una hoja de papel.
- Dobla el papel una y otra vez hasta el fin de la hoja para dejarla plegada como si fuera un abanico.
- Aplana la hoja de papel doblada.
- Usa el lápiz para dibujar la mitad de una muñeca sobre el papel plegado. El borde izquierdo de la hoja doblada será la línea de simetría.
- Asegúrate de dibujar el brazo de manera que llegue hasta la orilla del papel.
- Usa las tijeras para cortar el dibujo. Ten cuidado de no cortar los lados doblados.

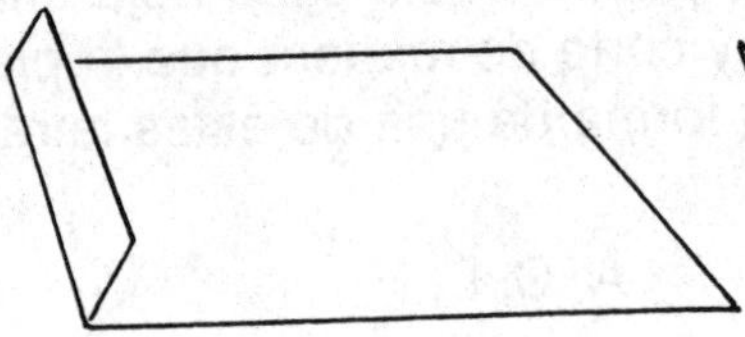

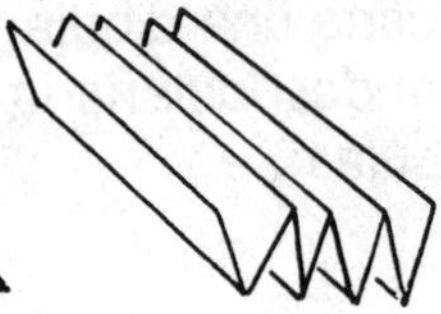

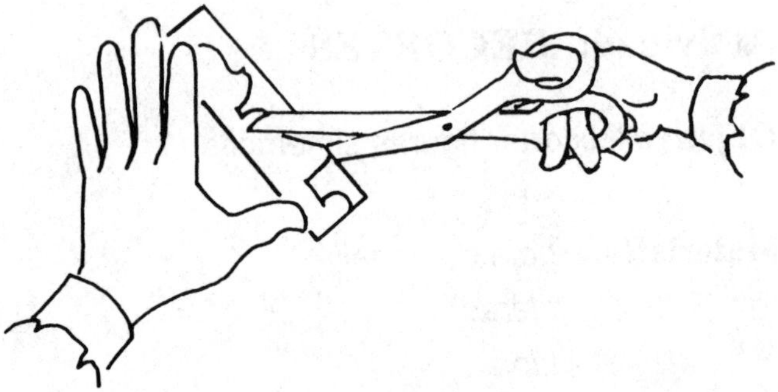

■ Desdobla el papel.

■ Usa los marcadores de colores para dibujar ropas y caras a la cadena de muñecas de papel.

Resultados Al cortar la mitad de una figura sobre líneas de simetría se produce una figura entera. El extremo del brazo se sitúa también a lo largo de una línea de simetría doblada para formar una cadena de figuras idénticas unidas por los brazos.